これまで僕は、
精いっぱい突っぱって生きてきた。
弱みを見せたら負けだと思い、
たくさんの敵をつくってきた。

自分でもわかっている、
どこまでも不器用な生き方だ。

そして僕は逮捕され、
すべてを失った。

いま僕の心の中はとても静かだ。

久しぶりに経験するゼロの自分は、
意外なほどにすがすがしい。

もう飾る必要はないし、
誰かと戦う必要もない。

いまなら
語れる気がする。
ありのままの堀江貴文を。

それは僕にとっての、
あらたな第一歩なのだ。

堀江貴文

ゼロ

目次

第1章　働きなさい、と母は言った
——仕事との出会い

第2章　仕事を選び、自分を選ぶ——迷い、そして選択

第3章　カネのために働くのか？
――「もらう」から「稼ぐ」へ

第４章　自立の先にあるつながり——孤独と向き合う強さ

第5章　僕が働くほんとうの理由 ――未来には希望しかない

帯写真　公文健太郎
スタイリスト　Uno Yoshihiko
ヘアメイク　HIROTAKA (lydia pro)
衣装協力　923DESIGN
校閲　鷗来堂

第0章　それでも僕は働きたい

すべてを失って残ったもの

久しぶりに嫌な夢を見た。

周りのみんなが離れていく夢だ。

みんなが足早に歩いている。具体的な誰が、というわけではない。顔の見えない「みんな」が背中を向け、僕の元から去っていく。「おーい、待ってくれ！　おいていかないでくれ！」。どれだけ大声で叫んでも、その声は届かない。まるで僕なんか存在しないかのように、すたすたと歩いていく。僕だけが取り残されて、その場に立ちつくす……。

全身汗だくになって目を覚ましたとき、一瞬自分がどこにいるのかわからなかった。

たった3畳しかない殺風景な畳部屋と、見慣れぬ白い天井。粗末な煎餅《せんべい》布団の隣には、小さな机が置かれている。ここでようやく我に返った。そうだ、僕は3日前にこの長野刑務所に収監されたのだった。2011年、6月末のことだ。言い渡された刑期は2年6カ月。それがどれくらいの長さなのか、当時の僕にはまったく想像がつかなかった。

2000年代の前半、僕は時代の寵児《ちょうじ》と呼ばれていた。

学生時代に起業したIT企業が、27歳を迎えた2000年4月に東証マザーズ上場。そして2004年には当時の近鉄バファローズ買収に名乗りを上げ、メディアに大きく採り上げられることとなる。続く2005年にはニッポン放送の筆頭株主となり、特にニッポン放送の子会社だったフジテレビとの関係については、日本中を巻き込むほどの大騒動となった。

当時、僕のことを毛嫌いする中高年層が多かったのは事実だ。生意気だとか、強欲な金の亡者だとか、ITなんて虚業だとか、さまざまな批判を浴びた。

しかし、批判と同じかそれ以上に、若い世代からの支持を得ていた実感があった。たとえば、近鉄バファローズ買収騒動のなかで生まれた「新規参入」という言葉は、その年の流行語大賞のトップテンにランクインした。さらに、ニッポン放送の株式取得にあたって僕の語った「想定内、想定外」という言葉は、その年の流行語大賞で大賞を受賞した。起業家ブームの象徴として、「あこがれる経営者」ランキングで日産のカルロス・ゴーン氏に次いで2位に選ばれたりもしていた。

ネットユーザーからは「ホリエモン」と愛称で呼ばれ、2005年に出馬した衆議院選挙では、たくさんのボランティアスタッフや若い有権者の熱い支持を実感することができた。選挙には敗れたものの、会社は相変わらず順調で、なにも問題ないように思えた。さらに大きな夢を実現しようと、ひたすら前に進んでいた。

ところが、翌2006年の1月。僕は東京地検特捜部から強制捜査を受け、証券取引法違反の容疑で逮捕されることとなる。ライブドアの前身である有限会社オン・ザ・エッヂを設立してから、ちょうど10年後のことだった。

その後、2年6カ月の実刑判決を受けて刑務所に収監された僕について、「ざまあみろ」とせせら笑った人もいれば、「これでアイツも消えてくれる」と胸をなで下ろした人もいるだろう。あるいは「かわいそうだ」と同情してくれた人もいるかもしれない。

たしかに僕は、すべてを失った。

命がけで育ててきた会社を失い、かけがえのない社員を失い、社会的信用も、資産のほとんども失った。

まだ判決も出ていないうちから犯罪者扱いされ、メディアはここぞとばかりにバッシングをくり返し、「ホリエモン」は欲にまみれた拝金主義者の代名詞となった。手のひらを返すように、僕の元から離れていった人たちも大勢いる。

さらには実刑判決を受け、懲役2年6カ月の刑務所送りとなる。

テレビ局やプロ野球球団の買収にまで名乗りを上げた男が、その数年後には独房に閉じ込められ、高齢受刑者の下《しも》の世話をしているのだ。誰がどう見ても、これ以上ない凋《ちょう》落《らく》ぶりだろう。

「刑務所の中で、どんなことを考えていましたか？」

「刑期を終えて出所したら、最初になにをやりたいと思っていましたか？」

出所後のインタビューで、よく聞かれる質問である。僕の答えはこうだ。

「早く働きたい、と思っていました」

ひっそりと静まりかえった、長野刑務所の独居房。僕の脳裏に、恨みや絶望といったネガティブな感情がよぎることはなかった。強がりでもなく、善人ぶっているのでもなく、これは嘘偽りのない話だ。

収監されてから仮釈放されるまでの1年9カ月間、僕の心を捕らえて放さなかった言葉、それは次のひと言に尽きる。

「働きたい」

そう、僕は働きたかった。とにかく僕は働きたかったのだ。

嗚咽号泣した孤独な夜

ライブドアの経営者時代はもちろん、出所後の現在も、僕は分刻みのスケジュールで働いている。長野刑務所に収監されていたときも同様だ。刑務所から与えられた介護衛生係としての仕事を淡々とこなす一方、メールマガジン用の原稿執筆など、個人的な仕事にも力を入れてきた。刑務所まで面会にきてくださった方に「なにか差し入れしてほしいものはある?」と聞かれ、思わず「仕事!」と即答して呆《あき》れられたほどである。

いったいなぜ、僕はそこまで働き続けるのだろう?

働く理由なんて、深く考えたことはなかった。「働くことに理由はいらない」「働くなんて当たり前」。シンプルにそう片づけてきた。しかし、ある出来事をきっかけに、僕は自分が働く意味について深く考えるようになる。

証券取引法違反の容疑で逮捕された、2006年のことだ。

東京拘置所に身柄を拘束され、東京地検特捜部の担当検事から取り調べを受けていた僕は、徐々に神経を磨り減らしていった。取り調べそのものがつらいのもあったが、それ以上に苦しかったのが、終わりの見えない独房暮らしだ。

無罪を主張し、容疑を否認しているうちは保釈が認められない。そして僕のような経済事件の被疑者は口裏合わせを封じるためか、あらゆる人間との接見が禁じられ、担当弁護士としか面会できない。

逃げ場のない独房の中、誰とも会話することなく、なにもしないで暮らす日々。言葉にするとなんでもないことのようだが、これがどんなに耐えがたいことか。

たとえば独房のドアは、内側から開かないしくみになっている。部屋の中から見ると、ドアノブさえついていない、ただの鉄板だ。食事を通す穴は、ドアの横に小さく設けられている。さらに、独房には時計がなく、室内に設置されたトイレもむき出しだ。そんな閉鎖環境で誰とも話すことなく過ごしていると、さすがに精神がやられてくる。

僕は少しずつナーバスになり、睡眠薬や精神安定剤に頼ることが増えてきた。

こんな状態が延々と続くくらいなら、いっそ検察の調書にサインしてしまおうか。「違法性の認識はなかったけど、結果的に違法行為と見られても仕方ないことをした」くらいだったら認めてしまってもいいんじゃないか。それで執行猶予がつくのなら、決して悪い話じゃない。頑《かたく》なに無罪を主張したところで、どうせ裁判で勝ち目はないだろう。なんといっても、調書にサインすればここから出られるんだ。ひとりきりの独房はもう嫌だ……。そんなふうに心が揺れることもあった。明らかに追いつめられ、情緒不安定になっていた。

そんなある日の夜だった。

目が冴えてしまい、布団に入ってもまったく眠気がやってこない。早く寝ようと思うほど、精神が高ぶってくる。そのまま何時間も悶々《もんもん》としていたところ、刑務官の規則正しい足音が歩み寄り、ドアの前で立ち止まった。……うなり声が漏れてしまったのか。深夜の拘置所内に、一瞬の静寂が流れる。すると刑務官は、食事用の穴から囁《ささや》くように語りかけてきた。

「自分にはなにをしてあげることもできないけど、どうしても寂《さび》しくて我慢できなくなったときには、話し相手になるよ。短い時間だったら大丈夫だから」

ぶわっ、と涙があふれ出た。

頭まで布団をかぶり、声を震わせながら泣いた。泣きじゃくった。

顔を見なくてもわかる。声の主は、独房から面会室までの間を何度か誘導してくれていた、若い刑務官だった。名前なんて知らないし、知りようがない。でも、その精悍《せいかん》な顔立ちと穏やかな声は、いまでもはっきり覚えている。あふれる涙が止まらない。こんなところにも、こんな僕に対しても、人の優しさは残っていたのだ。

きっともう、直接お礼を伝えることはできないだろう。ほんとうに、ほんとうに感謝している。彼の優しさがなければ、僕の心は折れていたかもしれない。

隠すことでもないだろう。僕は無類《むるい》の寂しがり屋だ。

よく「ひとりになれる時間が必要だ」とか「誰にも邪魔されない時間を持とう」といった話を耳にするけど、その気持ちがまったく理解できない。これまでの人生で、「ひとりになりたい」と思ったことがないのだ。できれば朝から晩まで誰かと一緒にいたいと思うし、たとえそれがインターネットや携帯電話であっても、誰かとつながっていたい。

そんな僕にとって、東京拘置所での独房生活は、まさに地獄の日々だった。

その後移送された長野刑務所のほうがずっとマシだ。刑務所の中であれば、工場での仕事を通じて、受刑者との交流が、多少はある。たとえ私語が禁止されていようとも、気に食わない先輩受刑者がいようとも、独房でひとり孤独に震えているよりはずっといい。

たとえば収監から3日目の夜に見た、みんなが僕の元を離れ、ひとりだけ取り残される夢。よほど追いつめられていたのだろう。少なくともライブドア時代、あれほど寂しい夢を見た記憶はない。こんな夢にうなされる日々が続いていくのか、それが刑務所暮らしなのかと、うんざりさせられた。

しかし、そこから3カ月後の日記に、僕はこんなことを書いている。

「そういえば、最近やる気が湧いてきた。出所したら真っさらになるので、ゼロベースで事業プランを実行するつもり。夜寝る前にいつも考えている。出所するときにはもう40代でジジイになっているけど、ジジイはジジイなりにがんばるよ」（2011年10月3日の獄中日記より）

やる気が湧いてきた理由、自分の心を大きく変えることができた理由、それは独房に閉じ込められる日々から解放されたおかげだ。介護衛生係として刑務所内での仕事をこなし、原稿執筆などの仕事をこなし、多少なりとも他者（受刑者や面会者、メールマガジン読者の声など）と触れ合う中で、少しずつ自分という人間を取り戻していけたおかげなのだ。

思えば僕は、ずっと前から知っていた。

働いていれば、ひとりにならずにすむ。

働いていれば、誰かとつながり、社会とつながることができる。

そして働いていれば、自分が生きていることを実感し、人としての尊厳を取り戻すことができるのだと。

だからこそ、僕の願いは「働きたい」だったのだ。

いまこそ「働くこと」を考えたい

本書の中で僕は、「働くこと」について考えていきたいと思っている。

自由の身になって、ゼロ地点に立ち返ったいまこそ、もう一度自分にとっての「働くこと」の意味を考え、その答えを多くの人たちと共有したい。

どこで働き、誰と働き、どんな仕事を、どう働くのか。そもそも人は、なぜ働くのか。

このままの働き方を続けていてもいいのか。これは僕の個人的な問題意識であり、同時にいまの日本全体に投げかけられた問いでもある。

たとえば、メールマガジン（堀江貴文のブログでは言えない話）にQ＆Aコーナーを設けているることもあり、僕は10代や20代の若い世代から相談を受ける機会がとてつもなく多い。メルマガだけでも延べ1万件以上もの質問に答え、しかもツイッターでの質問まで無数に飛んでくる。そしてその多くは、仕事に関する相談だ。

いまこんな会社で働いているのだが、どうすればいい転職ができるか。

独立して起業したいのだが、どんなビジネスプランが考えられるか。

こんなアイデアを持っているのだが、勝算はあると思うか、などなどである。

彼らの声を聞いていて感じるのは、みんな「掛け算の答え」を求めている、ということだ。もっとわかりやすい言葉を使うなら、成功へのショートカットを求め、どうすればラクをしながら成功できるかを考えている。もしかしたら、僕に聞けば「ラクをしながら成功する方法」を教えてもらえると思っているのかもしれない。

でも、ここで確認しておきたいことがある。

人が新しい一歩を踏み出そうとするとき、次へのステップに進もうとするとき、そのスタートラインにおいては、誰もが等しくゼロなのだ。

つまり、「掛け算の答え」を求めているあなたはいま、「ゼロ」なのである。

そしてゼロになにを掛けたところで、ゼロのままだ。物事の出発点は「掛け算」ではなく、必ず「足し算」でなければならない。まずはゼロとしての自分に、小さなイチを足す。小さく地道な一歩を踏み出す。ほんとうの成功とは、そこからはじまるのだ。

刑務所の中で40歳の誕生日を迎えた僕は、あの日記にも書いたように「40代のジジイ」として、社会に戻ってくることになった。会社を失い、大切な人を失い、社会的信用を失い、お金を失い、ついでにぜい肉までも失った。心身ともに真っさらな「ゼロ」の状態だ。久しぶりに経験する「ゼロ」は、意外なほどにすがすがしい。

「出所したホリエモンはなにをやってくれるんだろう？」

そんなふうに期待して下さっている方々に、僕はこう答えたい。

堀江貴文は、ただ働く。それだけだ。

ライブドア時代から続く「ホリエモン」ではなく、「ゼロとしての堀江貴文」に、小さなイチを積み重ねていくだけだ。

僕は失ったものを悔やむつもりはない。ライブドアという会社にも、六本木ヒルズでの生活にも、愛着はあっても未練はない。

なぜなら、僕はマイナスになったわけではなく、人生にマイナスなんて存在しないのだ。失敗しても、たとえすべてを失っても、再びゼロというスタートラインに戻るだけ。メディアを騒がせた「ホリエモン」から、ひとりの「堀江貴文」に戻るだけだ。むしろ、ここからのスタートアップが楽しみでさえある。

ゼロになることは、みんなが思っているほど怖いものではない。

失敗して失うものなんて、たかが知れている。なによりも危険なのは、失うことを怖れるあまり、一歩も前に踏み出せなくなることだ。これは経験者として、強く訴えておきたい。

カッコ悪さもすべて語ろう

出所後の完全書き下ろし第一弾となる本書について、もうひとつ触れておきたいことがある。

「刑務所に入って、なにが変わりましたか?」

「お金に対する考え方は変わりましたか？」

出所して以来、メディアの取材で必ず聞かれる質問だ。

おそらく記者の方々は、「金の亡者が刑務所で改心し、真人間へと更生していったストーリー」を期待しているのだろう。わかりやすく、記事にしやすい物語である。でも、僕の信念はなにも変わっていない。仕事に対する姿勢も、お金に対する価値観も、収監される前とまったく同じだ。

ひとつだけ変わったところを挙げるなら、コミュニケーションに対する考え方だろう。かつての僕は、世の中にはびこる不合理なものを嫌う、徹底した合理主義者だった。そして物事をマクロ的に考え、「システム」を変えれば国が変わると思ってきた。起業も、株式分割も、さまざまな企業買収も、あるいは衆院選出馬も、すべてはこの国の「システム」を変えたかったからだ。

きっとそのせいだろう、僕はひたすら「ファクト（事実）」だけにこだわってきた。言葉で説明するよりも、目に見える結果を残すこと。余計な御託《ごたく》は抜きにして、数値化可能な事実を指し示すこと。あいまいな感情の言葉より、端的な論理の言葉で語ること。それこそが、あるべきコミュニケーションの形だと信じ切っていた。

しかし、理詰めの言葉だけでは納得してもらえないし、あらぬ誤解を生んでしまう。そればかりか、ときには誰かを傷つけることだってある。僕の考えを理解してもらうためには、まず「堀江貴文という人間」を理解し、受け入れてもらわなければならない。言葉を尽くして丁寧に説明しなければならない。その認識が完全に抜け落ち、多くの誤解を招いてきた。これは最大の反省点である。

だから本書では、「これまで語られてこなかった堀江貴文」の姿についても、包み隠さず語っていこうと思う。僕がどこで生まれ、どんな家族の中で、どんな人生を送ってきたのか。なぜ東大をめざし、なぜ起業したのか。女の子にはモテたのか、モテなかったのか。カッコ悪い話も、長年抱えてきたコンプレックスも、すべてありのままに語っていきたい。

なぜなら僕には、どうしても伝えたい思いがあり、どうしても成し遂げたい夢があるからだ。

思えば学生時代の僕なんて、地味でひねくれた田舎者でしかなかった。中高時代も、大学時代も、完全に落ちこぼれていた。まったく勉強しなかったし、ギャンブルにハマった時期も長い。ライブドア時代に語られてきた「中高一貫の進学校に通い、現役で東大に合格し、若くして成功したベンチャー起業家」なんてサクセス・ストーリーは、表面的な結果論に過ぎない。

そこからどうにか変わることができたのは、小さな成功体験を積み重ね、自分の殻《から》を打ち破ってきたからだ。何者でもない「堀江貴文」という人間を、少しずつ更新してきたからだ。もちろん、一夜にして変わったわけではない。はじめの一歩は、すべて地道な足し算である。

もし、あなたが「変わりたい」と願っているのなら、僕のアドバイスはひとつだ。
ゼロの自分に、イチを足そう。
掛け算をめざさず、足し算からはじめよう。

僕は働くことを通じて、自分に足し算していった。仕事という足し算を通じて、つまらない常識から自由になり、しがらみから自由になり、お金からも自由になっていった。掛け算ができるようになったのは、ずいぶんあとになってからのことだ。

僕には確信がある。
どんなにたくさん勉強したところで、どんなにたくさんの本を読んだところで、人は変わらない。自分を変え、周囲を動かし、自由を手に入れるための唯一の手段、それは「働くこと」なのだ。

ある意味僕は、10代や20代の若者たちと同じスタートラインに立っている。

ここから一緒にスタートを切り、一緒に新しい時代をつくっていくことができれば幸いである。大丈夫。あなたも僕も、未来は明るい。

第1章　働きなさい、と母は言った

――仕事との出会い

父と母のいない風景

都心の繁華街が賑《にぎ》わいを見せはじめる午後9時。外界から遮断された長野刑務所は、ひっそりと消灯時間を迎える。建物全体がしんと静まりかえり、聞こえてくるのは誰かが咳《せき》をする音くらいだ。

今日もよく働いた。心地よい疲労感に包まれながら、布団に横たわって目を閉じる。すべての疲れを癒してくれる布団の感触は、ある人の背中に似ていた。人生でいちばん最初の記憶に残る、あの人の背中だ。僕は記憶をさかのぼって思い出す——。

浮かんでくるのは、曾《ひい》おじいちゃんにおんぶされている風景だ。

福岡県の片田舎で、農業を営んでいた曾祖父《そうそふ》の家。そこへと向かう長い坂道の途中、曾おじいちゃんは思いついたように僕をおんぶしてくれた。僕の年齢は2歳くらい。どんな声をかけてくれたのかは、もう覚えていない。

おそらくその日、曾祖父の家には父も母もいたのだと思う。しかし、僕の記憶から彼らの姿は消えてしまっている。覚えているのは曾おじいちゃんの骨ばった背中と、夏の強い陽差し、そして見渡すかぎりに広がる田畑の緑だけだ。言葉さえおぼつかない僕は、完全な「ゼロ」の存在だった。

自分の家が周りと違うことに気がついたのは、小学生のころだった。

多くの小学生が胸を躍らせ、気恥ずかしさと緊張感の中で迎える恒例行事、授業参観。浮ついた友達たちをよそ目に、僕は毎年「早く終わらないかな」と退屈していた。緊張したりワクワクしたりする要素なんか、どこにもなかった。

なぜなら僕の両親は、一度として授業参観に来なかったからだ。

愛されていなかったのかというと、それは違うと思う。いわゆるネグレクト（育児放棄）だったわけではない。共働きだった両親にとって、授業参観は仕事を休んでまで参加するイベントではなかった。「仕事」と「子どもの授業参観」とを天秤にかけたとき、仕事のほうを優先すべきだと思った。それだけのことだ。

だから僕は、両親がこなくて寂しいと思ったり、友達を見て羨《うらや》ましいと思ったりしないよう、自分に言い聞かせていた。うちの親はそういう親なのだし、仕事はそれだけ大切なのだし、堀江家とはそういう家なのだ。

1972年10月29日、僕は福岡県南部の山間部に位置する八女《やめ》市に、堀江家の長男として生まれた。以来、兄弟のいないひとりっ子として、両親と父方の祖母を含めた4人で暮らすこととなる。

父は、典型的な昭和のサラリーマンだ。日産ディーゼル福岡販売というトラック販売会社の、佐賀支店に勤めていた。具体的にどんな仕事をしていたのかは、よくわからない。家庭で仕事の話をすることはほとんどなかった。地元の高校を卒業し、そのまま地元の企業に就職して、ずっと同じ会社に勤務する。定年まで勤め上げることはなく、最後は肩たたきにあって早期退職した人である。

お酒に弱く、趣味は野球観戦。大好きな巨人が負けると、途端に機嫌が悪くなった。こっちがどんなに疲れていても、肩を揉めだの、背中を踏めだの、大きな声で命令してくる。不服そうな素振りを見せると、すぐに手が出た。

そんな父の口癖は、「せからしか！」だった。福岡の言葉で「うるさい」とか「やかましい」といった意味の方言だ。理屈っぽい僕が少しでも反論しようものなら、この決まり文句とともに平手打ちが飛んでくる。怒りのあまり、そのまま庭の木に縛りつけられたこともあった。

では、父が暴力に明け暮れるばかりの荒くれ者だったかというと、決してそうではない。お酒を飲まないときの父は、無口で物静かな人だった。特に、中学生になって僕が身長で追い越してからは、手を挙げることもなくなった。小学生のころには年に一度の海水浴を恒例にしていたし、遊園地に連れて行ってくれたこともあった。その意味でいうと、ごく普通の父親だ。

しかし、ひとつだけ「普通」と違ったところがある。

父と出かける先に、母の姿がなかったことだ。

海に行くのも、遊園地に行くのも、いつも父と僕の二人だけだった。そしてどういうわけだか僕は、母がいないのを当たり前のこととして受け止めていた。少年時代の子どもらしい思い出に、母の姿はほとんどない。

酔っ払った父の「せからしか！」なんて、どうってことなかった。堀江家の中でもっとも気性が激しかったのは、間違いなく母だった。

胸元に包丁を突きつけられた日

父と母の共通点を探すのはむずかしい。

あえて挙げるとするなら、二人とも同じ八女市で生まれ育ち、同じ高校を卒業したことくらいだ。とはいえ二人は7歳くらいの年齢差があり、学校で出会ったというわけではない。見合い結婚だったらしいが、どんな流れでお見合いすることになったのか、聞かされもしないし、こちらから聞いたこともなかった。

トラック販売会社一筋だった父と違い、母は何度も勤め先を変えていた。

僕が物心ついた当時は、市立病院で受付事務をやっていたし、布団工場かなにかの事務をやっていたこともある。そして最終的には、地元で自動車学校などを経営する実業家の、経理的な仕事に落ち着いていた。それなりに手広くビジネスを広げている実業家を間近で見ていた影響なのか、父よりも働くことへの意欲や執着が強かったように思う。

性格的にはとにかく激しい人で、他人の意見をひとつも聞かないまま、独断で物事を進める。そして絶対に自分の意見を曲げない。

たとえば、小学一年生の冬、学校から帰ってくつろいでいたときのことだ。祖母と一緒にこたつでテレビを見ていると、すたすたとやってきた母が仁王立ちでこう言った。

「貴文！　これから道場に行くけん、準備せんね！」

道場？　準備？　なんのことだかわからないまま車に押し込まれて、販売店で柔道着を買うと、そのまま近くの警察署に隣接した道場に連れて行かれた。これから毎週3日間、ここに通って柔道をしろと言うのだ。なぜ柔道なのか、なぜこのタイミングではじめるのか、せめて野球やサッカーじゃダメなのか、といった話はいっさい受けつけない。とにかく、有無を言わさず「やれ！」なのである。出てくる言葉は、いつも命令形。ほとんど銀行強盗のようなものだった。

こうして小学校の6年間、僕は警察の柔道道場に通うことになった。学校が終わると片道30分かけて自転車で道場に通い、1時間半の猛練習をして、また30分かけて帰る。これが火曜、木曜、土曜と週に3日間も続くのだ。

残念ながら僕は、最後の最後まで柔道が好きになれず、道場での時間はひたすら苦痛でしかなかった。体力の限界まで追いつめられる練習も、理不尽なしごきも、いまの時代ではありえないほどの体罰も大嫌いだった。しかし、なによりもつらかったのは、クラスの友達と遊べなかったことだ。

じゃあ、練習をサボってしまえばいいじゃないか。学校じゃないんだから、休んでもかまわないじゃないか。そんなふうに思う人もいるだろう。到底ありえない話である。練習をサボるなんて、うちの母が見逃すはずがないのだ。

あるとき、こんなことがあった。柔道の練習をサボったことが発覚し、電灯もない田舎の夜道に「お前なんか出ていけ！」と追い出された。どんなに玄関扉を叩いて懇願《こんがん》しても、入れてくれない。家中の扉に鍵をかけ、だんまりを決め込んでいる。

強情な母の性格を熟知している僕は、それ以上の抵抗をあきらめ、近所で唯一深夜営業をしている喫茶店まで歩いて行った。とりあえずそこに行けば、明かりがある。喫茶店に入るお金はないけれど、人の気配を感じることができる。そのまま野宿しようと、ドアのところでうずくまっていた。

すると、店にいた大学生が「どうした、小学生がこんな時間になにをやってるんだ？」と声をかけてきた。家から閉め出された事情を説明すると、「じゃあ、オレが入れてもらえるよう、お母さんを説得してやるよ！」と申し出てくれた。この大学生の懸命な説得により、母も渋々ながら家の鍵を開けたのだった。

ともあれ、母とのコミュニケーションは一事が万事こんな調子だった。

一度怒らせると手がつけられなくなるし、どこに地雷があるかもわからず、いつどんな無茶を言い出すかも見当がつかない。

高校1年生の冬休みには、またも突然「家でダラダラされても困るけん、年賀状配達のバイトに行ってこんね！」と言われた。どうせ勉強しないのだから働け、もう郵便局とは話をつけてあるから、この日のこの時間に郵便局まで行ってこい、と。もちろん理由を聞いても「せからしか！」になるし、下手に反抗したら余計面倒なことになる。

しかし、指定された日時に郵便局を訪ねても、あいにく担当者が留守だった。やむなくそのまま帰ってくると、「なんで帰ってきた！　お前はわたしの顔に泥を塗る気か！」と血相を変えて怒鳴り散らす。泥を塗るもなにも、約束を破ったのは向こうじゃないか。そもそもどうして僕が年賀状の配達なんてやらなきゃいけないんだ。なんでも勝手に決めるのはやめてくれ。いつまでも子ども扱いしないでくれ。たまりかねた僕が一気にまくし立てると、理屈では勝てないと思ったのか、黙って台所のほうに退散していった。

ところが、今度は両手で文化包丁を握りしめ、刃先をこちらに向けたまま「お前を殺して、わたしも死ぬ！」と鬼の形相で迫るのだ。

こうなるともう、ヒステリックのひと言では片づけられない。とにかく「激しい」以外の言葉が見つからない、強烈な人だった。

ただし最近になって、ひとつ気づいたことがある。

ちょうど、母が還暦を迎えたころのことだった。急に電話をかけてきて「車が古くなってきた」だの、「次はマーチみたいな小さい車にするつもり」だの、とりとめのない話をしてきた。仕事中だったこともあり、生返事のまま聞いていたところ、突然「還暦だから赤がいいい」と言う。

「えっ？　赤って、なにが？」

なんの話かわからず聞き返すと、「もういいいっ！」と怒って電話を切られた。なんのことはない、要は還暦祝いに赤いマーチを買ってほしかったのだ。正直にそう言ってくれる親だったら、思いを言葉にしてくれる人だったら、僕ももっと素直になれただろうに……。

僕自身、かなり不器用で愛情表現が苦手な人間だが、母のそれは僕に輪をかけて不器用である。

どこまでも激しく、どこまでも不器用な人。それが僕の母だ。

たった一度の家族旅行

そんな両親のもとに育って、一家団らんするような時間はあったのか？

ほとんど記憶にない、というのが正直なところだ。

父は外で飲んで帰ることも多かったし、帰りの早い日は大抵黙って巨人戦を見ている。いつ怒り出すかわからないので、僕はなるべくその場から離れていた。食卓でも、会話らしい会話はほとんどしない。80歳を越えた祖母が、戦時中に空襲で焼け出された話を毎日のようにくり返していた。

家族で外食するといえば、せいぜい長崎ちゃんぽんのチェーン店「リンガーハット」に行くくらい。それも月に一回あるかどうか、という程度だ。裕福な家庭には程遠い。福岡が発祥のファミリーレストラン「ロイヤルホスト」は、高嶺《たかね》の花だった。

そして夏休みになると、車で20分ほど離れた母方の曾祖父の家に預けられる。あの、最初の記憶で僕をおぶってくれていた曾おじいちゃんの家だ。いまになって思えば、「子どもをひとりで置いておくわけにはいかない」という、共働きならではの事情だったのかもしれない。でも、そんな説明もないまま、追い出すように預けられる。だから夏休み期間中は両親と会う回数も少なく、クラスの友達とも遊べなかった。
海水浴や遊園地に行くのは父と二人だけだったし、家族揃っての旅行は一度きりだ。忘れもしない、たった一度の東京旅行である。

小学三年生のとき、父が東京まで出張することになり、それに合わせて僕と母も一泊二日で東京旅行しよう、という話になった。はじめて訪れる大都会、東京。はじめて乗る新幹線。帰りには、飛行機に乗ることもできる。僕は胸をときめかせ、観光プランを練り上げていった。

まず、地下鉄路線図を広げて池袋駅を探す。目的地は、当時東洋一の高さを誇っていた多目的ビル、サンシャイン60だ。それから僕は、どうしても地下鉄に乗ってみたかった。当時はまだ、福岡市にも地下鉄は通っていなかったのだ。いったい地下のトンネルを走るとは、どういう気分なんだろう。そして地下トンネルを走り抜けた後に上るサンシャイン60からの景色は、どんなものなんだろう。10階建てのビルでさえ登ったことがないのに、60階だなんて、まったく想像がつかない。

路線図を見ると、どうやら丸ノ内線というやつに乗れば、東京駅から池袋まで行けるらしい。営団地下鉄丸ノ内線。なんとも近未来的でカッコイイ響きだ。その他の観光については親の希望に従おう。でも、丸ノ内線とサンシャイン60だけは、絶対に譲れない。8歳の僕はどうにか両親を説得し、ドキドキしながら東京行きの新幹線に乗った。

「えー!?」

東京駅に着いた僕は、あまりのショックに言葉を失った。丸ノ内線がどこにあるのかまったくわからないのだ。

それまで僕の頭にあった「駅」とは、規模が違う。うんざりするほどたくさんの人が、巨大迷路のような空間を早足で通り過ぎていく。少しでも気を抜いたら、親とはぐれてしまいそうだった。時間もないし、ぐずぐず迷っていたら親が「もういい、別のところに行こう」と言い出しかねない。

結局、「たぶんこれだろう」と思って飛び乗った池袋行きの電車は、地上を走る山手線だった。……テンション急降下である。

呆然《ぼうぜん》としたまま池袋のサンシャイン60に到着すると、喫茶店で遅めの昼食をとろうという話になった。テーブルが全席インベーダーのゲーム機になった、学生がたむろする煙草くさい喫茶店だ。なんだか、ますます気が滅入っていく。

そこから60階の展望台に上り、ぐるっと回って曇り空の景色を眺めたところで時間切れ。両親に急《せ》かされ、そのまま階下に降りていった。

あれだけ楽しみにしていた僕の東京観光プランは、不完全燃焼のまま終わってしまい、僕らは父が予約していた「はとバス」に乗り込んだ。こんなはずじゃなかったのに……。ふてくされたままのバスツアーは、どこを回ったのかさえ覚えていない。

するとバスツアーの終盤、母が突然「日光の鬼怒川《きぬがわ》温泉に行こう」と言い出した。急いで行けば旅館も間に合う、そうすれば明日は日光東照宮を見てから帰れるのだ、と。それで慌てて路線を調べ、「時間がないから晩飯は立ち食いそばだ」という。

「ええ！　せっかく東京に来たのに、立ち食いそば⁉」

地下鉄の失敗から引きずってきたフラストレーションが、ここで一気に爆発した。駅のホームで泣き叫んだ。日光だかなんだかしらないけど、どうして東京までやってきて、わざわざ立ち食いそばを食べなきゃならないんだ。もっと東京らしい、家族旅行らしい晩ごはんがあるだろう。僕がこの旅行をどれだけ楽しみにしてたと思うんだ！　どうしていつもこうなんだ、どうしてはじめての家族旅行くらいちゃんとできないんだ！　泣き叫ぶうちに、怒りを通り越して悲しくなってきた。

結局僕の願いは聞き入れられず、両親だけが駅ホームの立ち食いそばを食べ、ふてくされた僕はなにも食べないまま深夜の鬼怒川に到着した。翌日は日光東照宮を見たあと羽田空港に直行し、飛行機で福岡に帰った。当然、地下鉄には乗れないままだ。

たった一度の家族旅行で立ち寄った飲食店が、インベーダーゲームの喫茶店と、東武線構内の伸びきった立ち食いそば。なんだか、あの東京旅行が堀江家の空気をすべて物語っているような気がする。「食事」であればなんでもいい、「サンシャイン60」に上ればそれでいい、といった雑な感覚。れっきとした家族でありながら、同居人でしかないような、不思議な関係。

僕は寂しかった。家庭の温もりがほしかった。親を心底嫌いになれる子どもなんて、そうそういない。両親にはそれぞれ自分の実家があるのかもしれないが、僕には「この家」しかなかったのだ。兄弟もほしかったし、明るい笑顔がほしかった。けれど、その言葉はぐっと飲み込むしかなかったのだ。

ちなみに現在、両親は別居している。

別居のいきさつについてはなにも聞いていない。もしかしたら、僕が子どものころから夫婦仲がよくなかったのかもしれない。思えば夫婦の会話らしきものをちゃんと聞いたこともない気がする。そう考えると、海水浴や遊園地に母がついてこなかったことも、立ち食いそばも、当たり前だと思える。

情報は自らつかみ取るもの

こうやって両親の話をしていくと、多くの人が首を傾《かし》げる。

うちの両親は、二人とも平凡な高校を卒業した、ごくごく一般的な人たちだ。経済的な事情などはあったのかもしれないが、大学も出ていないし、サラリーマンとしての父は支店勤務の課長どまりだった。自分の親を悪く言うつもりはないけれど、どうひいき目に見積もっても「普通」の人たちである。

どうしてそんな両親から、僕のような人間が生まれたのか。みんなその理由を突きとめようとするのだ。

……こればかりは、僕にもよくわからない。遺伝だとは思えないし、なにかしらの英才教育を受けた覚えもない。むしろ僕の置かれた環境は、最悪に近かった。

地理的な状況から説明しよう。

僕の生まれた八女市は、お茶と仏壇、提灯《ちょうちん》などの特産品で知られる山間部の町である。住人のほとんどが一次産業に従事しており、うちのようなサラリーマン家庭のほうが珍しい。当時は住宅もまばらで、友達の家まで遊びに行くにも、歩いて30分は覚悟しなければならなかった。文化的な香りなどあるはずもなく、ただただ肥料の匂いが漂う町だ。文化が欠落していたのは、八女の町だけではない。堀江家もまた、文化や教養といった言葉とは無縁の家庭だった。

たとえば、うちの父は「本」と名のつくものをほとんど読まない。家に書斎がないのはもちろん、まともな本棚もなければ、蔵書さえない。テレビがあれば満足、巨人が勝てば大満足、という人である。

そんな堀江家にあって、唯一読みごたえのある本といえば、百科事典だった。

当時は百科事典の訪問販売が盛んで、日本中の家庭に読まれもしない百科事典が揃えられていた。きっと、百科事典を全巻並べておくことが小さなステータスシンボルだったのだろう。わが堀江家も、その例外ではなかったわけだ。

そこで小学校時代、僕はひたすら百科事典を読みふけった。

事典として、気になる項目を拾い読みしていくのではない。第一巻、つまり「あ行」の1ページ目から、最終巻「わ行」の巻末まで、ひとつの読みものとして通読していくのだ。感覚的には読書するというより、情報から情報へとネットサーフィンしているオタク少年に近いだろう。

リニアモーターカー、コンピュータ、そしてアポロ宇宙船や銀河系。百科事典には誇張も脚色もない。映画や漫画で見てきたような話が、淡々とした論理の言葉で紹介されている。星の名前も国の名前も、遠い昔の国王も、すべて百科事典で覚えた。ページをめくるたびに新たな発見があり、知的好奇心が刺激されていった。インターネットも携帯電話もない時代。僕にとっての百科事典は、社会に開かれた唯一の扉だったのだ。

ちなみに、同じ「本」でも小学校の図書室に置いてあるような児童文学は苦手だった。理由は簡単である。

当時の僕が求めていたのは、よくできた「お話」ではなく、網羅的な「情報」だったのだ。フィクションの世界に耽溺《たんでき》するより先に、この山の向こう、あの海の向こうに広がっているはずの、現実の「世界」が知りたかった。

もしも、これが都会の文化的な家庭に生まれていたら、きっと百科事典なんか読んでいなかっただろう。児童文学を読み、豊かな感性を育んでいたのかもしれない。しかし、いまほど貪欲に情報を追い求める姿勢も育まれなかったに違いない。僕にとっての情報とは、誰かが用意してくれるものではなく、自らつかみ取るものなのだ。

あの文化も教養もない環境がよかったとは思わない。

生まれたときからインターネットに触れられるいまの子どもたちが羨ましい。

でも、自他ともに認める「情報ジャンキー」となった僕の原点は、外界の情報に飢えまくっていた、あの子ども時代にあるはずだ。

「あなたの居場所はここじゃない」

百科事典のおかげだとは思わないが、小学校時代、勉強はダントツだった。

テストや教科書なんて、簡単すぎてつまらない。みんなが「わからない」と言っている、その理由がわからない。申し訳ないが、先生さえも間抜けに見えていたくらいだ。たとえば算数のテストだと、僕は10分とかからず全問解き終えてしまう。もちろん毎回100点だ。みんなが40分もかけている理由が、まったく理解できなかった。

ここでむずかしいのは、解き終わったあとの残り時間である。

暇だからと眠っていたら怒られるし、教室の外に出て行くわけにもいかない。答案用紙の裏に落書きするのも飽きてしまう。最終的に僕は、教壇のところで先生の代わりにみんなの答案を採点するようになった。

とはいえ、勉強ができるからといって尊敬されたりモテたりするわけではないのが、小学生の悲しいところである。小学校において、「頭がいいこと」にはなんの価値もない。クラスのヒーローになれるのは、足が速くて球技が得意な男子だけなのだ。残念ながら僕は足が速いわけではなかったし、球技も苦手だった。

では、真面目で大人しいガリ勉タイプだったのかというと、それも違う。通知表の素行《そこう》欄に書かれる言葉は、いつも「協調性がない」。先生からも、クラスメイトからも、ちょっとした問題児として煙たがられることが多かった。掃除はサボってばかりだし、日直などの仕事もやらない。遠足に行っても単独行動をとってしまう。典型的なひとりっ子の振る舞いだ。

そして少しでも気に食わないことがあると、すぐに取っ組み合いの喧嘩になる。柔道のおかげで腕っぷしには自信があった。ましてや、口論で負けることなど、ぜったいにありえない。毎日のように誰かと喧嘩して、ときには机を投げつけたり、相手を用水路に突き飛ばすこともあった。

どうしてそんな問題児になってしまったのか？

たぶん僕は、苛立《いらだ》っていたのだと思う。自分自身に苛立っていたし、自分の置かれた環境に苛立っていた。

足が速いわけでもなく、絵がうまいわけでもない。柔道のおかげで友達と遊ぶこともできず、テレビの話題にもついていけない。夏休みになれば、曾祖父の家に追いやられる。いくら勉強ができたところで、ほめられることもなく、むしろ疎《うと》まれるだけだ。

もちろん田舎の子どもらしく、みんなで山に登ったり、川辺で遊ぶこともあった。決して友達がいなかったわけではない。楽しい思い出がないわけではない。

けれど僕は、いつもどこかで醒《さ》めていた。ここが自分の居場所でないような、自分だけみんなと切り離されたような、言葉にできない疎外感を抱いていた。

そんな僕に、はじめての理解者が現れる。

小学3年生の担任だった、星野美千代《みちよ》先生だ。福岡時代の僕にとって、唯一「恩師」と呼べる先生である。

星野先生は、僕の生意気なところ、面倒くさいところ、そして不器用なところを、すべておもしろがってくれた。せっせと百科事典を読んでいることも、祖母が毎日唱えていたお経をいつの間にか暗記してしまったことも、全部ほめてくれた。こんな僕にも理解者がいて、応援してくれる人がいる。それだけでうれしかった。

そしてなにより、星野先生が他の大人と違ったのは「みんなに合わせなさい」と言わなかったことだ。むしろ、みんなに合わせる必要なんてない、その個性をもっと伸ばしていきなさい、と教えてくれた。

3年生の終わりごろ、先生は僕をつかまえてこんな話をした。

「堀江くん、あなたはここにいたらもったいない。八女から出ないと、ずっとこのままよ。久留米《くるめ》に『全教研《ぜんきょうけん》』という進学塾があるから、そこに行きなさい。そうすれば、あなたみたいな友達が何人もいるはずだから」

最初は先生がなにを言っているのか、意味がわからなかった。学年でダントツのトップだった僕に、100点しかとったことのない僕に、塾に行けというのだ。

それまで僕は、塾なんてお金持ちの子どもか、勉強のできない子どもが行くところで、自分には無縁の世界だと思っていた。しかし先生は、そうじゃないという。このまま八女の公立中学に進むのではなく、久留米にある中高一貫の私立校、久留米大学附設《ふせつ》中学校に行きなさい。あなたの居場所はそこにあるのだから、と。

結局僕は、星野先生の後押しもあって、4年生から福岡県久留米市の進学塾に通うことになる。いまでも不思議に思うことがある。もしも星野先生のアドバイスがないまま地元の公立中学に通っていたら、どうなっていたのだろう？　地元の空気に染まり、地元の仲間と楽しく過ごし、地元でなにかの仕事を見つけ、地元で家庭を築いていたのだろうか。その人生がいいとか悪いとかではなく、いまの僕にはまったく想像がつかないことだ。

僕にとってはじめての理解者であり、まっ暗な道に光を差してくれた人、星野先生。もしも再会できることがあったら、泣き出してしまうかもしれない。いまの僕があるのは、間違いなく星野先生のおかげなのだ。

刺激と仲間を求めて

久留米市は、福岡県南部でいちばん大きな繁華街である。

全国的には、歌手の松田聖子さんや藤井フミヤさん、女優の田中麗奈《れな》さんなどの出身地としても知られる、賑やかな街だ。

僕の家から最寄りのバス停まで、自転車で15分。そこからバスに乗り込み、車窓からの風景を眺めていると、まず田んぼが消える。そして少しずつ住宅と商業施設が増えはじめ、周囲の建物が鉄筋コンクリート建てになっていく。さらに大きなデパートやビルの間をくぐり抜けたところで、ようやく久留米のバスセンターに到着する。所要時間30分の、小さな旅だ。

久留米の街は、なにもかもがキラキラと輝いていた。

デパートもあれば映画館もあり、ゲームセンターからボウリング場まである。メインストリートの「一番街」にはオシャレな高校生や大学生が行き交《か》い、夜にはネオンやイルミネーションが輝く。当たり前の話だが、八女の田舎とはなにもかもが違う。

そして塾に集まる子どもたちもまた、みんなおもしろかった。

たとえば孫正義《そんまさよし》さんの弟で、現在「ガンホー・オンライン・エンターテイメント」の会長をしている孫泰蔵《たいぞう》くんも、同じ塾の同級生である。彼はその後、中学・高校でも同級生となる仲だ。同じクラスになることはなく、親友とまでは言えなかったものの、廊下などで会えば軽く言葉を交わす「タイゾーくん」である。

僕と同じ小学校からは、もうひとりだけYくんという男の子が通っていた。医者の息子だった彼は、帰りにミスタードーナツをおごってくれたり、自宅に招いて夕食をご馳走してくれたり、彼の父親が運転するトヨタの「マークⅡ」でロイヤルホストに連れていってくれたりと、いかにもお坊ちゃんらしく世話してくれたものだ。

車種まで覚えているのは他でもない。当時の僕は、マークⅡのことをベンツにも匹敵する超高級車だと思っていた。堀江家の日産「サニー」とは、グレードが違う。大きさも違えば、内装も、乗り心地も、すべてが違う。特に驚いたのが、ボタンひとつで自動開閉するパワーウィンドウだ。興奮のあまり、意味もなく何度も開け閉めさせてもらったのを覚えている。まるでSF映画の世界だった。

そんな超高級車「マークⅡ」に乗って、ほのかなオレンジ色に輝く超高級レストラン、「ロイヤルホスト」に入っていくのだ。いまとなっては完全な笑い話だが、あのとき感じた王侯貴族のような恍惚《こうこつ》を、僕は生涯忘れることがないだろう。


塾通いに魅せられたもうひとつの理由として、講師陣の教え方が抜群にうまかったことも挙げられる。最上位のAクラスにいたこともあり、授業のレベルも高い。小学校のように「遅い子に合わせよう」という発想は、いっさいなかった。遅れる子がいるのなら、Bクラスに移ってもらえばいい。僕らAクラスの子どもたちは、自分の好きなスピードでどんどん先へと進んでいける。とてもシンプルで合理的だ。

そうすると、あれだけ退屈だった勉強がおもしろくなり、よりむずかしい問題、より新しい課題を求めるようになっていく。塾のある日は柔道も休めるし、刺激的な友達とも会えて、おいしいものも食べられる。しかも勉強が楽しくなるのだ。こんな世界を知ってしまったからには、もう八女の生活には戻れない。

僕は星野先生との約束どおり、久留米大学附設中学校を受験し、合格した。地元で「フセツ」と呼ばれる、県下いちばんの進学校だ。

進学校に入ることが目的だったわけじゃない。当時から東大に行こうと思っていたわけでもないし、親から受けろと言われたわけでもない。僕はただ、なんの刺激もない田舎町に退屈しきっていたのだ。都会に出て、たくさんの刺激を吸収し、おもしろい仲間と出会う。それさえできれば、学校なんてどこでもよかった。

とりあえず、八女の山奥に閉じ込められる日々からは抜け出すことができた。まだまだ小さな一歩には違いない。しかし、確実な一歩である。

コンピュータとの運命的な出会い

中学に上がるのと前後して、もうひとつの決定的な出会いが待っていた。ある意味、その後の人生を決めたといっても過言ではない出会いだ。

そう、コンピュータとの出会いである。

直接のきっかけは映画だった。僕が小学生のときに公開されたアメリカ映画『ウォー・ゲーム』である。アメリカの高校生ハッカーが、自分でも気づかないうちに北米航空宇宙防衛司令部（NORAD）のホストコンピュータに侵入し、あわや第三次世界大戦を引き起こしそうになる、というストーリーだ。「コンピュータって、なんでもできるんだな！」と興奮したのを覚えている。

ちなみに、1972年生まれの僕は完全なファミコン世代だ。もちろん僕だってファミコンはほしかった。しかし、子どもにゲーム機を買い与えるなど、堀江家の両親からすれば天地がひっくり返ってもありえない話である。ファミコンについては、早々にあきらめていた。

でも、どうしてもあきらめきれなかったのがパソコンである。

僕が中学に入学したのは、1985年。茨城県つくば市で科学万博が開催された年だ。子どもたちは科学やSFに強い関心を持ち、僕も科学雑誌を読み漁《あさ》っていた。そして話題の中心にあったのは、いつもコンピュータだった。

まだまともに触ったこともなく、プログラミングの知識など皆無に等しかったにもかかわらず、僕には確信にも似た予感があった。コンピュータを手に入れれば、なにかが変わる。この退屈な日常が、まったく新しいものへと変化する。コンピュータの先にはまぶしい未来があるはずだ、と。

そこで中学の合格祝いを名目に、「これはゲームじゃないんだ。勉強に使うものなんだ」「これからはコンピュータの時代なんだ」と調子のいい話を織り交ぜながらなんとか買ってもらったのが、日立のＭＳＸパソコン「Ｈ２」だ。

僕の予感は見事に的中した。退屈しきっていた日常は、パソコン購入を境に一変してしまう。コンピュータの魅力に、完全にハマり込んでしまったのだ。

ゲームソフトを買うお金なんてない。学校が終わったらすぐに帰宅して、深夜までプログラミングに明け暮れる日々だ。地味といえば地味な作業である。それでも、友達の家で遊ぶファミコンよりずっとおもしろかった。

パソコンのなにが、それほど僕を惹《ひ》きつけたのか？

まず挙げられるのは、パソコンが知的好奇心を満たすおもちゃだったことだ。

いまとは比較にならないほど使いづらかったパソコン画面に、英数字によるプログラムを入力していく。すると美しい絵が表示され、音楽が流れ、ゲームの世界が立ち上がる。まるで自分が魔法使いになったような、とてつもない全能感に包まれる。

そしてなにより、パソコンは圧倒的に自由だった。

ファミコンのように誰かがつくった世界で遊ばされるのではなく、自分が遊ぶ世界を自分の手でつくること（プログラミング）ができる。コンピュータの技術は日進月歩で進化を続け、この先どうなるんだろうというドキドキも強かった。

コンピュータの魅力に取り憑《つ》かれた僕は、学校や友達そっちのけでプログラミングに明け暮れ、もはや初心者用のMSXパソコンでは我慢できなくなった。

そこで中学2年のとき、思いきってNECの「PC-8801mkⅡFR」というマシンを購入する。ホビー向けの側面が強かったMSXパソコンとは違い、今度はエントリーモデルながらも本格派のパソコンだ。

さすがに2台連続では買ってもらえない。しかも今度のパソコンは1台目の3倍近い値段である。「新聞配達をして全額返済する」という約束のもと、親から20万円ほど借金しての購入だった。早朝からの新聞配達は苦しかったが、本格派パソコンを手に入れた喜びには敵わない。

僕はますますパソコンの世界に没頭し、当時の標準言語BASIC《ベーシック》だけでなく、より高度なマシン語もマスターして、かなり複雑なプログラムまで組めるようになっていく。

働くことの意味を実感した日

中学生がアルバイトをして、パソコンを買うこと。

しかも20万円という大金だ。なぜそんな話になったのかについては、堀江家の仕事観と金銭観から説明していく必要があるだろう。

まず、堀江家にはしっかりとした小遣い制度がなかった。

そしてお年玉も、もらえなかった。親戚の子どもにはあげるけど、自分の子どもにはあげない。それが堀江家のお年玉だ。小学校低学年のうちならまだしも、さすがに高学年にもなってくると少しは小遣いだってほしくなる。だってそうだろう、周りの友達はみんなもらっているのだ。

そんな僕の訴えに対して、決まって返ってくるのが「高い塾に行かせとるのに贅沢言うな!」という言葉だった。中学になるとこれが「私立に行かせとるのに贅沢言うな!」に変化する。たしかに、塾にせよ私立の中学にせよ、誰に頼まれて行きはじめたものではない。僕のわがままと言われれば、そうなるのだろう。そこを突かれると、なにも言えなくなる。

しかし、うちの両親はお金そのものを毛嫌いしていたわけではなかった。「子どもに大きなお金を持たせるなんて、教育上よくない」といった、変な教育方針から小遣いを否定していたわけではない。むしろ、アルバイトを積極的に奨励していたくらいだし、アルバイトで稼いだお金は、自由に使うことができた。

どれだけたくさん稼ごうと、家に入れるよう要求されたことはないし、使い道に口出しされたこともない。貯金しようと、散財しようと、僕の自由だった。

つまり僕のアルバイトは、「家計を助けるために新聞配達をしていた」という美談ではないのだ。堀江家は決して裕福ではないものの、ひとりっ子を塾にやり、私立中学に通わせる程度の収入はあったのである。

それでは、どうしてアルバイトを奨励していたのだろう?

おそらく両親は勉強よりもずっと大切な、「働くこと」の価値を教えたかったのだと思う。

なんといっても、趣味らしい趣味も持たないまま10代のうちから働き続け、わが子の授業参観を蹴ってまで「働くこと」を選んだ両親だ。

たとえば2台目のパソコンを買うことを認め、20万円もの購入資金を貸してくれたのも、僕の熱意にほだされたわけではない。ただ単に新聞配達という「仕事」を経験させたかったのだ。感覚としては、柔道の道場に送り込んだときと近い。勉強もできて、口だけは達者だった僕に、仕事を通じて社会の厳しさやお金の大切さを知ってほしかったのだろう。

しかし残念なことに、僕は新聞配達からなにも学べなかった。これも柔道のときと同じで、新聞配達を楽しいと思ったことは一度もない。朝が弱い僕にとって、毎朝5時台に起きての配達作業はただの拷問でしかなかった。達成感らしい達成感もなく、はじめてのバイト代を受け取ったときも、「こんなに苦しい思いをして、たったのこれだけか」という落胆に似た気持ちしかなかった。

ところが、ちょうどそのころ、思わぬところから仕事の依頼が舞い込んでくる。

久留米市に、当時としてはかなり珍しい、パソコンを使ったＣＡＩ教育（コンピュータ支援教育）による英語スクールがあった。小学校のときに通った「全教研」が開いたスクールだ。僕はパソコンに触りたい一心でそのスクールに通い、授業そっちのけでパソコンをいじりまくっていた。するとあるとき、塾講師からこんな相談を受けた。

「うちのスクールに入ってる日立のパソコン、今度全部ＮＥＣの新しいパソコンに入れ換えるんだけど、教材システムを移植する必要があるらしいんだよ。それって、お前できる？」

「できます！」

即答だった。それなりに大掛かりな、本来なら業者に委託するほどのシステム移植だ。やったこともなく、できるかどうかはわからないけど、大きなチャンスだと直感的に察知した。ここで断るなんてありえない。

そこからおよそ１カ月、試行錯誤をくり返しつつも無我夢中でプログラミングしていった。ご飯のときも、お風呂に入っているときも、ずっとシステムのことばかり考えていた。中学2年生、14歳のときのことである。

作業が無事終了し、受け取った報酬はおよそ10万円。中学生にとってはかなりの大金だが、金額のことはどうでもよかった。

僕にとってなによりも大きかったのは、自分の能力を生かし、自分が大好きなプログラミングを通じて誰かを助け、しかも報酬まで得ることができた、という事実だ。新聞配達のように、誰にでもできる仕事ではない。クラスの友達にできないのはもちろん、うちの両親にもできないし、学校の先生にも、塾の講師たちにもできない。プログラミングが得意な僕だからこそ、直接指名を受けた仕事だ。

「そうか、働くってこういうことなんだ」

僕のつくったシステムに講師の人たちが驚きの声を上げ、握手を求め、そしてたくさんの生徒が学んでいく。僕の流した汗が誰かの役に立つ。

この仕事をやり遂げたときの達成感、誇らしさ、そして報酬を受け取ったときの感慨は、とても勉強や新聞配達では味わえない種類のものだった。生まれてはじめて、「堀江貴文」という存在を認めてもらった気がした。

気づいたときには落ちこぼれ

さて、そうやってコンピュータの世界にのめり込んでいった僕に、大きな問題が襲いかかってくる。

入学当時はトップ10クラスだった成績が、みるみる下がっていったのだ。

あまりに魅力的なパソコンの世界を知ってしまった僕には、もはや学校の勉強なんかバカバカしくてやっていられなかった。教科書を開く暇があったら、キーボードを叩いていたい。方程式を解く暇があったら、ひとつでも多くのコードを書いていたい。もちろん勉強しないのだから、成績は下がる。そして成績が下がるほど学校がおもしろくなくなり、ますますパソコンの世界に逃避する。そうこうしているうちに、学年202人中199番というところまで落ちていった。

中学時代の僕が、パソコン以外なにも見えなくなっていた理由として、学校に対する幻滅があったことも触れておかねばならないだろう。

星野先生は、僕に「附設中に行けば、居場所がある」と言ってくれた。気の合う友達もできるはずだし、勉強もおもしろいはずだし、たくさんの刺激があるはずだと、背中を押してくれた。

たしかに附設中には頭のいい生徒が大勢いた。小学校時代、あれだけトップを独走していた僕が、逆立ちしても敵わないような生徒たちだ。しかし、彼らと一緒にいることで刺激される部分があったかというと、決してそうではない。

というのも、みんな「いい子」すぎたのだ。

当時の附設中には医者の息子が多く、学年の半数くらいが「九州大学の医学部に入るため」だけに、この学校に送り込まれてきていた。僕のように自らの意思で中学受験をした生徒はごく少数派だった。

もちろん、親の言いつけを守る彼らは、毎日きちんと宿題をこなす「いい子」たちである。小学校時代に通った塾のほうが、ずっと刺激的でおもしろいメンバーの集まりだった。しかも男子校なので、好きな女の子に会いたくて学校に通う、といったモチベーションも湧かない。

成績が下がるにつれ、僕はクラスの中でも目立たない存在になっていった。

エリート集団のグループに入ることもできず、かといってむさ苦しいパソコンオタクのグループに入るつもりもない。オタクになりきる勇気がない。当時のクラスメイトの間では、ただただ「勉強のできない堀江くん」とのイメージしかないはずだ。後に起業したりメディアを騒がせることはもちろん、東大に合格することも想像していなかっただろう。

そんなある日、目が覚めると机の上からパソコンが消えていた。

母に「オレのパソコンどうした?」と聞いても、「知らん!」のひと言だ。嫌な予感がして近くのゴミ捨て場まで駆け出すと、僕のパソコンがむき出しの状態で打ち捨てられていた。

どうにか持ち帰って動くようにしたものの、母に激昂《げきこう》する気にはなれなかった。せっかく入学させてもらった学校の中で、完全な落ちこぼれになっていたことは、疑いようのない事実だったのだ。

ここから抜け出すには東大しかない

成績が落ちたからというわけではないが、高校へと上がり、気づくと部屋のパソコンも埃《ほこり》をかぶるようになっていた。このあたり、当時のパソコンを取り巻く時代的な背景を説明するのはむずかしい。ひと言でいうと、インターネットもないこの時代、パソコンは一時のキラキラとした輝きを失い、マニアックな人たちが愛好するマニアックなおもちゃになっていったのだ。それはまったく僕の望むところではなかった。

しかし、ここで真面目に勉強するような僕ではない。

それまでパソコンに費やされていた時間は、勉強でもスポーツでもなく、すべてが享楽的な遊びの時間へと切り替わっていった。

友達の家に泊まり込んで朝まで麻雀をしたり、ゲームセンターにたむろしたり、当時流行っていたビリヤードで遊んだりと、かなり自堕落な生活だ。当然、学校の成績は悪いままで、親からは毎日のように叱《しか》られる。

思えば、中学時代の僕には、パソコンという砦《とりで》があった。どんなに成績が落ち込んでも、パソコンによって自尊心を保つことができた。自分はみんなが知らない世界に触れている、みんなより先を進んでいる、というちっぽけな自尊心だ。

ところが、パソコンから離れてしまった僕には、もはやちっぽけな自尊心さえ残されていない。将来のことなどなにも考えられず、ただ目の前の快感に流されていく日々。昨日と同じ今日が続き、今日と同じ明日を迎える。率直に言って、僕は高校1～2年当時の記憶がすっぽり抜け落ちている。

どうしてこんなことになってしまったんだろう？

このままどこに行くつもりなんだろう？

友達と一緒にゲラゲラ笑っているときも、上空には醒めた目で自分を眺める「もうひとりの自分」がいた。遊んでも遊んでも、まったく楽しくなれなかった。

しかし、入学から5年が過ぎ、そろそろ真剣に進路を考えるべきときがやってきた。

指標となるのは、高校3年の春に受けた東大模試。当然、F判定だ。合格率をパーセントで算出できるレベルではない。単純に「判定不能」、もっといえば「あきらめなさい」のサインである。

そもそも僕に、希望の大学はなかった。

僕が掲げていた最大の目標、それは「ここ」から脱出することだった。それが九州なのか、福岡なのか、八女なのか、あるいは堀江家なのか、よくわからない。とにかく、もう「ここ」での生活には、うんざりしきっていた。

じゃあ、どんな進路が考えられるのだろう？

友達の多くは地元の国立、九州大学への進学を考えている。「九大」といえば、九州でいちばんのエリートコースだ。でも、僕にとっては絶対にありえない選択肢だった。もしも九大となれば、またも実家からの通学を強制される可能性がある。

かといって、わざわざ大阪や名古屋をめざす気にもなれない。

やはり、行くとなれば東京だ。

早稲田や慶應はどうだろうか？　……いや、東京の私立大に行くなんて、金銭的に無理である。学費を理由に「九大に行け」と言われて終わるだろう。

それでは、同じく都内の国立大である一橋《ひとつばし》はどうか？　……これも論外だ。そもそも、うちの両親が一橋を知っているかどうかも怪しいし、おそらく一橋や早慶よりも九大のほうが偉いと思っている。それが九州人のメンタリティというものだ。

そうやって考えていくと、僕が「ここ」から脱出するためには圧倒的な説得材料が必要だった。どんな強情な人間でも認めざるを得ない、最大級の結果が必要だった。考えを重ね、出てきた結論に目眩《めまい》がしそうになる。僕は自分に、しかと言い聞かせた。

他に選択肢はない。

うちの親でも知ってる日本一の大学、東大に合格するしかないのだ。

それは、失われた自尊心を取り戻すための挑戦でもあった。

勉強とは大人を説得するツールだ

目標は東大に定まった。あとはどうやって合格するか、その手段だ。

まず書店に足を運んで「赤本」を購入し、自分なりに対策を練っていく。

国語はさほどむずかしくない。過去問の反復練習で対応できるだろう。社会に関しては百科事典のベースがあるせいか、ずっと得意だった。理科は配点が低いので後回し。そうなると残るのは、英語と数学である。

根っからの科学少年だったこともあり、僕の希望は理系だった。しかし、自分の数学力と受験までのスケジュールを逆算すると、どう考えても無理だ。センター試験はともかく、東大数学の二次試験は数学的クリエイティビティが要求される。当時の僕がもっとも苦手としていた部分である。

幸い、東大には「進振り《しんふ》」といって、1～2年の成績に応じて3年次からの進路を自由に選択できる制度があった。F判定の自分に、贅沢は言えないだろう。まずは文系で入学しておいて、進振りを使って理系に転向（理転）する道を選ぼう。

そうなればポイントは英語だ。当時、僕の英語は5～6割の正解率。まさしく判定不能、「あきらめなさい」のレベルである。

過去問を何度も読み返した結果、僕のたどり着いた結論はこうだった。

受験英語とは、とにかく英単語を極めることに尽きる。文法に惑わされてしまうのも、すべては単語の意味を取り違えているからだ。単語力の強化が、そのまま英語力の強化に直結する。

実際、僕の単語力はかなりお粗末なものだった。そこで英語の教師におすすめの単語帳を教えてもらい、片っ端から丸暗記することにした。

ただ暗記するといっても、よくある単語カードによる暗記ではない。単語帳の隅から隅まで、派生語や例文も含めてすべての文言を「丸暗記」していくのだ。ちょうど、俳優さんが台本を丸ごと暗記するようなイメージである。

自分に課したノルマは、1日2ページ。12月に終える予定だったが、予定より早く進んで、秋口には全ページを一言一句漏《も》らさず暗記することができた。

こうやって書くと、いかにも血の滲《にじ》むような努力をしたように思われるかもしれない。しかし、そんな意識はまったくなかった。実際僕は、どんなに追い込まれても毎日10時間の睡眠を確保するようにしていたほどだ。要は起きている14時間をすべて——これは食事や風呂も含めて——勉強に充《あ》てればいいのである。

勉強でも仕事でも、あるいはコンピュータのプログラミングでもそうだが、歯を食いしばって努力したところで大した成果は得られない。努力するのではなく、その作業に「ハマる」こと。なにもかも忘れるくらいに没頭すること。それさえできれば、英単語の丸暗記だって楽しくなってくる。

これは中学時代にコンピュータのシステム移植の仕事を通じて学んだ結論だ。あの仕事はたしかに大変だった。ギリギリだった。でも、その大変さも含めてすべてが最高に楽しかった。何事も得意だとか苦手だとかいう先入観で物事を判断せず、目の前の作業にハマッてしまえばいいのである。

実際、単語帳の丸暗記はおもしろくてたまらないゲームとなり、英語についてはほぼこれだけの勉強で、3年冬のセンター模試で9割以上の正解率を叩き出した。F判定だった模試も回を重ねるごとにE判定、D判定となり、最終的にC判定まで上昇する。楽観的すぎるのかもしれないが、このC判定をもらった段階で「よし、これで合格できる！」と確信した。

結果的に、僕はどうにか現役で東大に合格することができた。

あからさまな劣等生だった僕の合格に、職員室は大騒ぎだったようだ。

しかし、うちの両親はそこまで大喜びというわけではなかった。仕送りのことが頭をよぎったのか、それともひとり息子の上京が寂しかったのか、あるいは感情表現が苦手すぎるせいなのか。きっとすべてが入り交じっていたのだろう。

いま、福岡時代の自分を振り返って思うのは、僕にとっての勉強とは「説得のツール」だったことだ。子どもとは、大人の都合によっていくらでも振り回される、無力な存在だ。しかし、勉強という建前さえ掲げておけば、大抵のわがままは通る。八女から久留米の街に出ることも、柔道の道場を休むことも、パソコンを購入することも、そして上京することも。あのどん詰まりの環境から抜け出すには、勉強するしかなかった。誰の目にも明らかな結果を残すしかなかった。

だから僕は、受験勉強が無駄だとはまったく思わない。

無駄に終わる知識はあるかもしれないが、周囲の大人を説得し、自分で自分の道を切りひらく最強のツールは、勉強なのだ。

上京するために荷物をまとめていたとき、背中を向けた父がボソッと「まあ、お前が卒業してこっちに帰ってきたときには……」とつぶやいた。顔を上げると、さほど大きくない父の背中が、余計に小さく見えた。

帰ってくる⁉　僕が？　なにを言っているんだろう？

八女に生まれたこの人は、これからもずっとこの地で生きていくのだろう。見慣れた景色に囲まれ、見慣れた仲間とともに生きていく。その人生を否定するつもりはないし、そういう幸せだってあるのかもしれない。

でも、僕は前を向いてしまったのだ。

一度しかやってこない人生の特急列車に、飛び乗ってしまったのだ。

この先どんな困難が待ち受けていようと、後ろを振り返るつもりはなかった。

ちゃんと言葉を返すべきだったのだろうか。もう帰ってくることはないと、言葉にして伝えるべきだったのだろうか。

うまく返事のできないまま、僕は黙ってカバンに荷物を詰め込んだ。

第2章　仕事を選び、自分を選ぶ

——迷い、そして選択

大学生活のすべてを決めた駒場寮

中東のイラクで湾岸戦争が勃発《ぼっぱつ》した1991年の春、僕は東京大学に入学した。

東大では、1~2年生の全員が教養学部前期課程に属し、東京都目黒区の駒場キャンパスに通うことになる。銀杏《いちょう》並木の印象的な、落ち着いた雰囲気のキャンパスだ。

「ここから新しい人生がはじまるんだ」

入学当時の僕は、大きな期待に胸を膨らませていた。

3年次に理転するには、駒場の2年間でそれなりの成績を残しておかなければならない。なんといっても日本一の最高学府に入ったのだ。すごい連中が集まっているだろうし、勉強もしっかりやっていこう。

そして悪夢のような男子校生活に別れを告げ、これから大勢の女の子たちと夢のキャンパスライフがはじまるのだ。もちろん彼女だってつくらなきゃいけないし、合コンからサークル活動まで、大いに青春を謳歌《おうか》しよう。地理的にいっても駒場は渋谷からほど近く、いろんな刺激を得られそうだ。これからの僕にどんな物語がはじまるのか、想像しただけでゾクゾクしてくる。

東京での住み処《か》に選んだのは、キャンパス内にある駒場寮だった。

いまはもう取り壊されてしまったが、戦前の旧制一高《いちこう》時代からの伝統を受け継ぐ、三階建ての学生自治寮である。振り返って考えると、僕にとっての「東大」は、ほとんどこの駒場寮に集約されるような気がする。

周辺を大きな木々に囲まれ、壁の大部分が太い蔦《つた》に覆われた外観。僕が入寮した当時でさえ築50年以上という、かなり古い建物だった。お世辞にも管理が行き届いているとは言い難く、寮生以外はほとんど寄りつこうとしない。さながらキャンパス内に取り残された廃墟のような、一種異様な雰囲気を漂わせていた。

駒場寮は、相部屋による共同生活が原則である。部屋ごとに寮生の個性も豊かで、どんな部屋に入るかによって、その後の学生生活にも大きな影響が出てくる。そして幸か不幸か、僕は駒場寮の中でもかなり変わった部屋に入寮することになる。部屋の真ん中に雀卓が鎮座する、「麻雀部屋」だ。

もともと堀江家では、親戚が集まるといつの間にか卓を囲んでいることが多かった。思えば麻雀は、両親にとって唯一ともいえる共通の趣味だ。僕も小学生のうちからマスターし、高校時代には友達と徹夜で麻雀をすることも多かった。大学に入学した時点で、すでにキャリア10年。ある意味ベテランである。

そんな僕が、麻雀部屋に転がり込んだのだ。目の前に卓があり、牌《はい》がある。しかも受験からの解放感もある。やらないわけにはいかないだろう。

麻雀好きな先輩、同級生、さらにはOBから他校の学生まで、さまざまな人間が入り乱れての麻雀生活がスタートすることになった。

上京にあたっていちばん不安だった金銭面は、ほとんど困らなかった。東大ブランドは予想以上に強く、塾講師のアルバイトさえやっておけば月に15~20万円は入り込んでくる。また、最悪お金がなくなっても、寮にいればOBの人たちがビール券や食料を持ってきてくれるので、食うには困らない。キャンパス内に住むことで「通学」そのものがなくなったし、うるさく文句を言う親もいない。となれば、あとはひたすら麻雀に明け暮れるだけだ。

４人揃えば卓を囲み、誰かが寝落ちするまでジャラジャラと洗牌《シーパイ》する（牌をまぜ合わせる）音が鳴り響く。週末ともなれば、大勢が集まっての焼肉パーティーだ。部屋には母が上京したときに秋葉原で買ってくれた１升《しょう》炊きの炊飯器がある。さすがに普段使いには困る大きさだが、きっと寮の先輩や同級生たちと仲良くできるようにと、彼女なりの応援だったのだろう。この炊飯器には20代の後半までお世話になった。

もともと肉が苦手で、ガリガリに痩せていた僕だが、入寮の１年後には10キロも太っていた。どこにでもいる、堕落しきった大学生である。

どうして東大に幻滅したのか

では、勉強はどうだったのか。いくら麻雀部屋に住んでいたとはいえ、どうして麻雀に明け暮れる生活を送っていたのか？　理転はどうした？　勉強しにきたんじゃなかったのか？

もちろんそこには理由がある。

入学当初は、1～2年のうちに勉強をがんばって、3年で理転して自分の好きな生命工学などの分野——当時は理転で航空宇宙工学に進むことはできなかった——に進もうと意気込んでいた。

ところが入学して1～2カ月もしないうちに、日本の研究者が置かれた現実を見てしまう。駒場寮の麻雀部屋に入らなければ知らずに済んだかもしれない現実だ。

寮の先輩にTさんという人がいた。当時すでに26歳くらいで、大学院の博士課程を単位取得退学する予定だった人だ。博士研究員（ポスドク）として企業や大学研究室を転々とする日々を送っており、麻雀がめっぽう強かった。

彼の専門はナノテクノロジー。まだカーボンナノチューブも発見・発表されていない時代からC60フラーレンなどのナノテクノロジーを研究していた。超最先端の、超有望な科学技術である。いま考えても、かなり先見の明に優れた、天才的な研究者だったと思う。

しかし、Tさんの先進的な研究には国からの研究費がほとんどつかず、研究環境は最悪に近かった。まともなパソコンを買う余裕もなく、台湾製のＡｐｐｌｅⅡ（もちろん海賊版のニセモノだ）で計測していたほどである。

どうして、そんなことがまかり通るのか？

日本の研究者は、純粋に研究成果のみで評価されるわけではない。研究者の道には嫉妬や派閥争いなどのドロドロした権力闘争が待っており、閉鎖的なムラ社会が形成されている。それがＴさんの主張だ。

これは、麻雀部屋に出入りする理系のＯＢたち、あるいは塾講師をしている理系のＯＢたちが異口同音にこぼす愚痴《ぐち》でもあった。

Ｔさんの実験を手伝うこともあった僕は、「天下の東大でドクターまで進んでも、しょせんこんなものなんだ」「こんなに優秀な人でも認められず、劣悪な環境に閉じ込められるのか」と驚き、少しずつアカデミズムの世界に幻滅していった。

いま考えるとナイーブすぎたのかもしれないし、もしかしたら遊びたい自分への言い訳だったのかもしれない。でも、暗澹《あんたん》とした将来が見えた気がして、とても理転のことなど考えられなくなったのは事実だ。

目の前に待っていたのは、麻雀漬けの毎日だけだった。

僕はまったくモテなかった

それでは、もうひとつの目標だったはずの恋愛はどうだったのか？ちゃんと合コンに参加して、彼女をつくり、男子校生活では味わえなかった青春を謳歌したのか？

率直にいって、僕はまったくモテなかった。

いや、モテるとかモテないとかいう以前の問題だ。中高6年間を男子校で過ごしたこともあり、僕は女の子に対する免疫がゼロだった。まともに話をすることさえできなかったのである。

とくに致命的だったのは、中高時代に自転車通学だったことだ。

自宅から学校まで20キロの距離を、片道45分、往復90分かけて通学する。雨の日も、雪の日も、なにがあってもバスを使わず、自転車で通学する。それが中学への入学時に親と約束させられたルールだった。

男子校で自転車通学をしていると、女の子と出会うチャンスが皆無に等しい。

たとえばこれが、電車やバスでの通学だったら、駅や電車の中、あるいは駅近くのファストフード店などで、なにかしらの出会いがあっただろう。少なくとも、かわいい子を見つけたり、一目惚れすることくらいはあったはずだ。

ところが、黙々と自転車を漕《こ》ぐ僕には、一目惚れするチャンスさえない。僕の頭を支配していたのは、片道45分かかる通学時間を、なんとかして30分にまで短縮すること。女の子なんて目に入るはずもない。

進学校だったこともあり、クラスメイトにも女の子との交流がある人間がほとんどいない。なんといっても、唯一女の子と触れ合えるチャンスの文化祭を「男く祭《おとこくさい》」と名づけてしまうほど、むさくるしい校風なのだ。

結局、僕の中高時代は、ほとんど同世代の女の子との接触がないまま、「男くさい」男子校の中で過ぎていった。

そんないきさつもあり、東大に入ってからは、できるだけ女の子と触れ合って、もちろん彼女もつくって、あの「失われた6年間」を取り戻そうと意気込んでいた。語学クラスも、女子率の高いスペイン語を選んだ。クラスの50人中30人が女子という、中高時代には考えられないほど恵まれた環境だ。

ところが、まったく話しかけることができない。声をかけようとした途端、全身が固まってしまう。喉の奥がギューッと詰まり、声が出なくなる。自分のルックスにも自信がなかったし、田舎の出身だし、東大では勉強さえも自慢にならない。全身コンプレックスの固まりだ。

共学の高校を出た友達は「そんなの、普通に話せばいいじゃん」と言うのだが、こっちにはその「普通」に話した経験がないのだ。彼らの言う「普通」の感覚が、すでにわからないのだ。

もっとも、女子率の高いスペイン語のクラスだし、ごく稀《まれ》に向こうから「普通」に話しかけられることもある。

これもダメだった。1年生のあるときだ。授業が終わって寮に向かってとぼとぼ歩いていると、同じクラスの女の子が声をかけてきた。

「堀江くん、寮に戻るんだよね？　途中まで一緒に帰ろうよ」

頭が真っ白になった僕は、心の中で「無理、無理、無理、無理！」と首を振りながら、なにも言わず足早に立ち去ってしまった……。

同窓会などで、当時クラスメイトだった女の子たちに会うと、決まって「堀江くんって、完全にキョドってたよね」と笑われる。キョドっていた、つまり挙動不審になっていた、ということだ。たしかに、自分で考えてもかなり挙動不審だったと思う。

女の子と目を合わせることができず、なにを話せばいいのかわからない。ファッションや流行に疎い僕に、共通の話題があるとは思えない。自分なんかと喋ってもおもしろくないだろう、という卑屈な思いもある。

さらに、テーブルを挟んで向かい合うときに、手をどこに置いておくべきなのかわからない。机に載せればいいのか、ポケットに突っ込むべきなのか、あるいは腕組みするのがいいのか、そんなどうでもいいことばかりが気になって目が泳いでしまう。意を決して絞り出した声は、いつも上ずっている。……完全なオタクの挙動である。

もしも僕に姉や妹がいれば、女の子との接し方にも違いがあったのかもしれない。しかし僕はひとりっ子で、「男くさい」男子校の自転車通学者だ。その影響がどれだけ大きいものか、同じ環境にない人に理解してもらうのはむずかしいだろう。

いまだから明かす話だが、僕は大人になってからもずっと、女の子に対してキョドっていた。

たとえば、近鉄バファローズの買収騒動でメディアに大きく採り上げられた2004年あたりも、まだキョドっていた。メディアの前では強がっていたけど、プライベートで会う女の子には相変わらず挙動不審で、うまく話せなかった。経営者となり、お金に余裕もできて多少チヤホヤされるようになってきても「オレのことが好きなんじゃなくて、オレの持ってるお金が好きなんでしょ?」という猜疑《さいぎ》心が拭《ぬぐ》えなかった。

なぜなら、僕のルックスも性格も、モテなかった学生時代からなにひとつとして変わっていなかったからだ。

ようやく女の子と普通に接することができるようになったのは、30代の中盤になってからのこと。情けない話だが、これは事実である。

あなたが仕事や人生に怖じ気づく理由

こんな話をしているのには、大きな理由がある。

できることならコンプレックスにまみれた過去の自分など、思い出したくもないし、語りたくもない。実際、これまでほとんど語ってこなかった。

僕は、女の子の前で挙動不審になっていた。キョドりまくっていた。目を合わせることもできず、声をかけられても逃げるように立ち去っていた。自分が女の子とまともに話せるような日が来るとは、想像もつかなかった。

じゃあ、対人関係全般を苦手としていたのかというと、それは違う。

たとえば寮生活の中で、あるいは営業や交渉事で、あたふたすることはなかった。自分の意見を堂々と主張して、必要に応じて相手の意見を聞き入れることもできた。いまでも営業は大好きだ。母に似て、他者とのコミュニケーションが不器用な性分にもかかわらず、である。


いまとなっては、よくわかる。

結局これは、女の子を前にしたときの「**自信**」の**問題**なのだ。そして僕には、**自信を形成するための「経験」が、圧倒的に不足していた**のだ。

僕だって、共学の中学・高校に通ってクラスの女の子を好きになったり、みんなで夜まで文化祭の準備をしたり、バレンタインデーにドキドキしたり、告白したり、振られたりする経験を持っていれば、女の子に対する多少の免疫はできていただろう。モテるとかモテないとかとは別に、「普通」に振る舞うことができただろう。

これは恋愛に限った話ではない。

たとえばビジネスでも、転職したいとか、社内で新規事業を起こしたいとか、起業したいといった希望を持ちながらも、なかなか行動に移せない人がいる。

そういう人は、僕が女の子にキョドっていたように、仕事や人生に怖じ気づいているのだ。仕事にキョドり、人生にキョドっているのだ。

仕事と目を合わせることができず、大きなチャンスからは逃げ回り、人生に向き合うと頭が真っ白になる。けれど同時に、仕事や人生と仲良くなることを強く願っている。どう振る舞えばいいかわからず、あたふたしている。まさに、女の子を前にしてキョドっているオタク少年と同じだ。

仕事でも人生でも、もちろん異性関係でも、キョドってしまうのは、性格の問題ではない。ましてや、ルックスなど関係ないし、学歴や収入、社会的な地位とも関係ない。

これはひとえに「経験」の問題なのである。

そして経験とは、時間が与えてくれるものではない。

だらだらと無駄な時間を過ごしたところで、なんの経験も得られない。なにかを待つのではなく、自らが小さな勇気を振り絞り、自らの意思で一歩前に踏み出すこと。**経験とは、経過した時間ではなく、自らが足を踏み出した歩数によってカウントされていく**のである。

僕だって、最初から営業が得意で、交渉事が好きだったわけではない。自分をうまく表現できなかった僕を大きく変えてくれたのは、大学時代に経験したヒッチハイクの旅だ。

間違いない。

僕はこの旅を通じて、自分の殻を破ることができた。

「小さな成功体験」を積み重ねよう

研究者への道をあきらめ、麻雀に明け暮れるばかりの日々を過ごしていた、大学一年のときのことだ。同じ駒場寮の麻雀仲間だった中谷くんという友達が、唐突に「一緒にヒッチハイクしない？」と声をかけてきた。

岐阜の田舎から出てきた中谷くんは、都会っぽさやエリート臭とは無縁の、妙に親近感の湧く男だった。お互い麻雀が大好きだったこともあり、入学していちばん最初に仲良くなったのは彼だ。後に聞いたところ、彼も僕に対して「ここにもオレと同じ、変なヤツがいた」との第一印象を持ったのだという。類は友を呼ぶ、である。

彼のもうひとつの趣味は、ヒッチハイクだった。

浪人生時代からヒッチハイクの魅力にハマり、東大に入ったら全国各地を回ろうと目《もく》論《ろ》んでいたらしい。そこで、クラスメイトや寮の麻雀仲間に「1円も使わずに、どこにでも行けるんだぜ！　一緒に行こうよ！」と熱弁を振るうのだが、誰も乗ってこない。まだバブルの残り香が漂っていた時代。ヒッチハイクの貧乏旅行に興味を示す東大生なんて、ほとんどいなかったのだ。

そんな彼の提案に対して、なんとなく「おもしろそう！」とついていったのが僕だった。やはり、類は友を呼ぶ、なのだろう。

誘われるがままに乗ってみたヒッチハイクは、どうだったか？

最高だった。僕は中谷くんと同じくらい、ヒッチハイクの魅力にハマっていった。北海道を除くほぼすべて、つまり東北から沖縄までほとんどの都府県はヒッチハイクで回ったはずだ。

ヒッチハイクのポイントとして僕らが狙いを定めていたのは、高速道路のサービスエリア（SA）やパーキングエリア（PA）である。

SAやPAの従業員用出入り口から侵入し、休憩中のドライバーに片っ端から声をかけていく。長距離トラックの運転手はもちろん、カップルから家族連れ、それから会社の営業車など、あらゆる層の人たちに「次のパーキングエリアまででもいいので」と声をかけていく。

そうすると、10台に声をかければ1台は乗せてくれる。どんな不運が続いても、30台に声をかければ確実だ。それだけやって乗せてもらえなかったことは、一度もない。

ただし、相手の警戒心を解くためには、原則ひとりで乗せてもらわなければならないし、つまりはひとりで交渉しなければならない。もちろん、見知らぬ人に自分から声をかけるのは、かなり緊張するし、勇気が必要だ。

自分が怪しい人間でないこと、ただお金に困った大学生のヒッチハイクであること、次のパーキングまででもかまわないこと、疲れたら運転を代わることなどを、誠心誠意伝えていく。

1回目から乗せてもらえることは、ごく稀だ。断られたらショックも大きいし、くじけそうにもなる。それでも何度となくアタックして、10人目や20人目で乗せてもらえるのだ。いま考えると、ほとんどビジネスの営業や交渉と同じである。

はじめて声をかけたときの緊張感、そしてはじめてヒッチハイクに成功したときの達成感は、いまでもしっかり覚えている。

「僕にもこんな大胆なことができるんだ！」

「これで日本中どこにでも行けるじゃないか！」

実際、僕らのヒッチハイクは無敵だった。たとえば夜中に、串カツが登場する料理漫画を読んで、「よし、いまから大阪に行って、串カツ食べるぞ！」と港北《こうほく》パーキングエリアに出かけ、ヒッチハイクをはじめる。そして翌日の昼には、大阪で本場の串カツを食べているのだ。

好きなときに、好きな場所に、1円も使わず出かけられるフリーパスチケット。財布が空《から》でも勇気ひとつでどこにでも行ける圧倒的な自由。この快感は、普通の旅では得られないものがある。

結局、ヒッチハイクによる小さな成功体験を積み重ねることで、僕はコンプレックスだらけの自分に自信を持てるようになっていった。

もう見知らぬ人に声をかけるのも怖くない。交渉だって、うまくできる。自分の殻を打ち破ったという、たしかな手応えがあった。僕が起業後にも臆することなく営業をかけていくことができたのは、このヒッチハイクの経験があったからこそなのだ。

挑戦を支える「ノリのよさ」

友達からヒッチハイクに誘われて、やってみるのか、断るか。

あるいは友達からおもしろそうなイベントに誘われて、参加するのか、しないのか。

イベント会場で積極的に話をしようとするのか、会場の隅で傍観者になるのか。

いずれもとるに足らない、些細《ささい》なことだ。

しかし僕は、**あらゆる人の一生とは、こうした小さな選択の積み重ねによって決まってくる**のだと思っている。

これはチャンスの問題なのだ。

たとえば僕は決して裕福とは言えない家庭に生まれ育った。都会の、もっと裕福な家庭に生まれていれば、まったく違った人生が待っていたとは思う。しかし、僕は自分の境遇をマイナスだとは思っていない。なにかの機会が奪われたとか、人生をフイにしてしまったとは、思っていない。

なぜなら、**チャンスだけは誰にでも平等に流れてくる**ものだからだ。

チャンスについて語るとき、僕はよく昔話の『桃太郎』を例に挙げる。川で洗濯をしていたおばあさんは、大きな桃に飛びついた。奇妙な桃だと怖がらず、洗濯中だと無視もせず、とにもかくにも飛びついた。鬼退治の物語は、おばあさんが桃に飛びつくところからはじまるのだ。

そしてチャンスとは、あらゆる人の前に流れてくる。大きな桃じゃないかもしれない。葉っぱ一枚のこともあるだろう。それでも、**目の前に流れてきたチャンスに躊躇なく飛びつくことができるか**。そこが問題なのである。

大学時代の僕は、ヒッチハイクの誘いに飛びついた。別にヒッチハイクによって自分の性格を変えようとか、殻を破ろうとか、高尚な目的意識があったわけではない。ただ「おもしろそう!」と思い、勢いにまかせて飛びついただけである。そのチャレンジが自分を変えるきっかけになったのは、ただの結果論だ。

僕はこの「チャンスに飛びつく力」のことを、向上心とか目的意識とか、そんな堅苦しい言葉で語りたくはない。もっとシンプルな、**人としての「ノリのよさ」**だと思っている。フットワークの軽さ、好奇心の強さ、そしてリスクを承知で飛び込んでいける小さな勇気。それらの総称が「ノリのよさ」だ。

ちなみに言うと、女の子の前でキョドっていた僕は、女の子に対する「ノリのよさ」が欠落していたことになる。せっかくのチャンスをみすみす逃し、フットワークを重くしていたのだ。

チャンスの見極め方がわからない？

桃と葉っぱの見分けがつかない？

僕に言わせると、その発想がすでに「ノリの悪さ」を表している。**チャンスを見極める目なんて、必要ない**のだ。少しでもおもしろいと思ったら、躊躇せず飛び込む。そうしないと、せっかくやってきたチャンスは流れる桃のように過ぎ去ってしまう。

たとえばの話、この本を読んで「よし、自分もヒッチハイクをやってみよう！」と思える人、行動に移せる人は、その後の人生でも多くのチャンスを摑《つか》むことができるだろう。一方、「さすがにヒッチハイクなんて……」と思ってしまう人は、目の前に流れるチャンスを摑めないまま、凡庸《ぼんよう》な人生が待っているのかもしれない。

小さな成功体験の前には、小さなチャレンジがある。

そして小さなチャレンジとは、「ノリのよさ」から生まれる。

ノリの悪い人は、人生の波にも乗れない。もちろん血肉となるような経験も得られず、自信にもつながっていかない。

シンプルに考えればいい。**すべては「ノリのよさ」からはじまる**のだ。

「このままではこのまま」の自分に気づくこと

大学3年になると、ほとんどの東大生は学びの場が駒場キャンパスから本郷《ほんごう》キャンパスへと移る。あの、安田講堂や赤門で有名なキャンパスだ。おかげで僕も、めでたく駒場寮の「麻雀部屋」を卒業し、本郷のアパートに住むようになった。

しかし、堕落した日々はその後も変わらない。

麻雀からは離れたものの、今度は競馬の世界にハマっていった。馬で稼いで馬主になることを半ば本気で考えていたくらい、将来設計はいい加減だった。馬券につぎ込む金額も大きく膨らみ、金銭的にも苦境に立たされた。

そんな僕を救ってくれたのは、大学ではなく、やはり仕事だった。

当時から僕は、就職してサラリーマンになる考えはなかった。

暗い顔で電車に乗る大人たちを見ていて、サラリーマンが楽しそうには思えなかったし、なにか別の生き方があるだろうと思っていた。

じゃあ、自分にどんな将来像があるのだろう？

僕が働いていた塾には、東大出身の先輩が何人もいた。大学院まで出たけれど、オーバードクターでポストもなく、そのまま塾講師を続けている先輩。40歳になっても塾講師を続け、最終的に地方の私立高校に転職していった先輩。それなりの高給が保証され、生活に困ることはない。しかし、ギャンブル好きの大学生でしかなかった僕の目から見ても、人生の目標を見失ったような人たちばかりだった。

ある日の塾の休憩時間、教員室で漫画を読んでいた僕は、何気なく顔を上げて周囲を見渡した。先輩講師たちは、雑誌片手にコンビニ弁当を食べたり、ヘッドフォンステレオで音楽を聴いたり、次の授業の問題用紙をまとめたりしている。そこに漂う弛緩《しかん》しきった空気と、その風景の一部となりかけている自分に、ゾッとしてしまった。

このまま塾講師を続けていたら、間違いなくこの色に染まってしまう。

ギャンブルに明け暮れ、大学を中退し、手近に稼げる塾講師を続け、気がつけば40歳の扉を叩く……。違う！　僕はこんな人生を送るために東京に出てきたわけじゃない。いますぐ変わらなきゃいけない。**このままでは、一生「このまま」だ。**

塾講師に危機感を抱いた僕は、新しいアルバイト先を探すために東大の学生課に向かった。そして一般企業からガテン系まで、掲示板に貼り出されたさまざまな求人情報を眺めていたところ、ある一枚の貼り紙に目が止まった。

〈プログラマー募集〉

……なるほど、その手があったか！

中学時代にコンピュータのシステム移植で稼いだ記憶がよみがえる。僕が生まれてはじめて「働くこと」の意味を実感した、あの記憶だ。もう一度あの充実感と達成感を味わいたい。本格的にパソコンに触るのは中学以来だから、現役とはいえない。それでも、マシン語をはじめとして基礎はみっちりできていたし、飲み込みの早さには自信がある。明記されている時給は900円スタート。2500円の時給をもらっていた塾講師時代とは比較にならない金額だ。でも、これはお金の問題じゃない。やるしかないと自分に言い聞かせた。

手始めに飛び込んだアルバイト先は、衛星授業で有名な「東進ハイスクール」の関連会社だった。主な業務は、衛星授業の運営や教材開発。ここで自分の技術が十分に通用することを確認すると、今度は完全なコンピュータ系ベンチャー企業に転身した。より専門的で、よりレベルの高い実践の場を求めてのことだ。

このときから僕は、パソコンに没頭していた中学時代と同じように、あるいは麻雀に明け暮れた駒場寮時代と同じように、仕事だけしか目に入らなくなった。もう大学に通うつもりもない。大学よりも麻雀よりも、そして女の子と遊ぶよりも圧倒的におもしろいものを見つけてしまったのだ。

そう、インターネットとの出会いである。

インターネットとの出会いから起業へ

コンピュータ系ベンチャーで働きはじめて間もなく、僕は「アップルリンク」というアップル社の開発者向けパソコン通信サービスの運営を任されるようになった。それで94年の暮れごろ、定例ミーティングのためアップル・ジャパンを訪れると、担当者からこう切り出された。

「うちの会社のホームページをつくってくれないか？」

ホームページをつくる？　なんの話をしているのか、よくわからない。

もちろん、インターネットやホームページの存在は知っていた。でも、パソコン通信からインターネットへの移行期だった当時、僕はまだインターネットが持つほんとうの可能性を理解しきれていなかった。

「わかりました、ちょっとつくってみますよ」

会社に戻った僕は、大急ぎでホームページについて調べまくった。先輩にレクチャーを受け、書店でインターネット関連の書籍を買い漁《あさ》り、むさぼるように読んでいった。

「こ、これは……」

あまりの興奮に、ページをめくる手の震えが止まらなかった。

圧倒的な自由があった。無限の可能性に満ちていた。

世界中のコンピュータと相互につながることのできるインターネット。しかも「ハイパーテキスト」というシステムによって、ブラウザの一画面上に世界中のありとあらゆるデジタルデータを一括して表示することができる。そこには、新聞や雑誌、さらにはテレビまで、あらゆるメディアを大きく凌駕《りょうが》するポテンシャルが秘められていた。

僕は確信した。

もしも「みんな」がこれを使うようになったら、世界は確実に変わる。変わらざるをえない。とてつもない変化の波が襲ってくるだろう。そう、これはまさに革命だ。僕の目の前で、ＩＴ革命がはじまろうとしていたのだ。

結果的にアップル・ジャパンのホームページはプレゼン段階で不採用となってしまったものの、そのとき以降、起きている時間も寝ている時間もインターネットのことばかり考える日々が続いた。ホームページのつくり方は、早々にマスターすることができた。あとは、これをどうビジネスにつなげていくかだ。

ひとまず、たくさんの企業に「会社案内の代わりにホームページをつくりませんか？」とドブ板営業をかけ、企業ホームページを立ち上げることにした。ほとんどヒッチハイクのノリである。

企業の反応は上々で、いくつもの契約を取ることができた。なるほど、地道な営業活動さえやっていけば、インターネットでも十分に稼ぐことができる。予想通り、これは相当でかいフロンティアだ。

するとアルバイト先の会社で、インターネットを専門に扱う部署をつくろう、という話が持ち上がった。しかし、そんな生ぬるいことじゃダメだ。いっそのこと、会社全体をインターネット専業にしてしまうくらいの決断が必要だ、というのが僕の考えだった。もちろん、そんなアルバイトの意見など通るはずもない。

おそらく、当時インターネットがビジネスになると「真剣に」考えていたのは、日本中で100人くらいだったと思う。僕は幸いにも100人のうちの1人に入ることができた。まさに川を流れる大きな桃だ。このチャンスを逃してしまったら、必ず後悔してしまう。

僕は書店に駆け込み、『有限会社のつくり方』という本を手に取った。

誰もやらないのなら自分でやるしかない。いま、このタイミングでやらなければ、あっという間に1000人が気づき、1万人が気づき、僕は「その他大勢」になってしまう。そうなれば資本の力に負けてしまうだろう。何者でもない学生の僕に勝機があるとすれば、スピードだ。そこで勝つしかない。もともと会社員になるつもりはなかったし、起業の意思は持っていた。本を読むかぎり、会社をつくるのなんて簡単だ。

アルバイト先の会社に独立の意思を伝えると、月70万円という破格の給料を提示されてまで慰留《いりゅう》を受けたが、それも断って退路を断った。急げ、急げ、急げ——。

そして1996年の4月、僕は東大に籍を置いたまま「有限会社オン・ザ・エッヂ」を起ち上げる。六本木の雑居ビルに借りた7畳の小部屋には、大急ぎで揃えた中古パソコンとリサイクル家具だけが並んでいた。

僕はこの起業に際して、とにかくスピードだけを最優先に考えていた。あと一年、せめて半年でもアルバイト先にとどまっていれば、会社の設立資金なんて簡単に貯まる。しかし、その一年が待てない。半年すら待てない。

結局、僕は貯める道を選ばず、600万円を借金することによって起業した。ちょうど中学時代に親から借金してパソコンを買ったのと同じだ。僕には、前しか見えていなかった。周囲からは反対意見も聞こえてきたが、ヒッチハイクで考えれば話は早い。パーキングエリアまでやってきて、ぐずぐず躊躇するわけにはいかなかったのだ。

激動の10年間をくぐり抜けて

オン・ザ・エッヂを起業してから強制捜査を受けるまでの10年間については、もうたくさんの場所で語り尽くしてきた。ここでくり返し述べる話でもないと思う。

起業して数年の間は、私生活のすべてを捨てた。友達とも連絡を取らず、もちろん大学に行くことも、飲みに行くこともない。会社にベッドを置いて、毎日のように泊まり込む生活だ。誇張でもなんでもなく、睡眠以外の時間はすべて仕事に充てていた。経営者として会社を動かすのはもちろん、ひとりのプログラマーとして、現場の最前線で働きまくっていたのだ。

たとえば、夜中になって「サーバーに不具合が出た」と連絡が入る。そのままデータセンターに駆けつけ、朝までひとり、黙々と復旧作業に明け暮れる。そんな日々が3〜

４年くらい続いていた。いつどんなトラブルが発生するかわからないので、３６５日ずっと臨戦態勢だ。週末だろうと盆や正月だろうと酒も飲めないし、旅行にも行けない。もちろん苦しいことでもあったが、当時はモードが切り替わり、仕事にどっぷりハマっていた。

僕がプログラミングの第一線から離れて、どうにか経営に専念できるようになったのは、会社が上場した２０００年くらいのことだ。意外かもしれないが、当時の僕はそこそこ優秀なプログラマーでもあったのである。

１９９９年の決算で売上げ２・６億円。上場した２０００年の売上げは11・６億円。そこから毎年29・２億円（01年）、58・９億円（02年）、１０８・２億円（03年）と、倍々ゲームのように売上げを伸ばしていった。そして２００４年には、会社をさらに大きくしようと「株式会社ライブドア」に社名変更。そのまま近鉄バファローズの買収に乗り出し、翌２００５年にはニッポン放送の筆頭株主となり、フジテレビとの関係を巡って世間を大いに騒がせた。

さらに同年秋の「郵政選挙」に出馬して惜しくも落選すると、２００６年1月に東京地検特捜部から強制捜査を受けることになる。

僕は、この起業から強制捜査までの10年間で、少なくとも数十年分、ひょっとすると一生分の人生を生ききってしまったのではないか、と思うことがある。それほどにも濃密で、充実した、怒濤《どとう》の10年間だった。

IT革命の追い風を受け、既得権益を守ろうとするあらゆる既成勢力と戦いながら、前だけを見て突っ走ってきた。一瞬たりとも立ち止まらなかった。ようやく立ち止まって周りの風景を見回したのは、強制捜査によって無理やり足を止められたときだった。よく言う「あっという間の10年」ではなく、「とてつもなく長い10年」だ。

一貫して無罪を主張し続けた裁判で、実刑判決が確定したのは、2011年4月のことだった。働き盛りであるはずの30代、もっとたくさんのことができたはずの貴重な5年間を、裁判に費やしたことになる。さらに懲役2年6カ月の実刑判決だ。もったいない、と思う気持ちがなかったといえば嘘になるだろう。

しかし現在、僕は強制捜査や逮捕、そして裁判での実刑判決を経て収監されたことまで、すべてをありのままに受け入れている。誰かを恨もうとは思わないし、くよくよと悔やむつもりもない。

おそらくそう思えているのは、人生をぐるりと一周しきったいま、再びゼロに戻って新しい人生のスタートを切ることができたからだ。ここからなにかがはじまる、確かな手応えがあるからだ。

僕は生まれ変わったわけではない。悔い改めたわけでもない。ただゼロに戻り、もう一度スタートを切って働こうとしている。それだけなのだ。

第3章

カネのために働くのか？

——「もらう」から「稼ぐ」へ

あなたは何のために働くのか

世間から「ヒルズ族」と呼ばれていたライブドア時代、分刻みのスケジュールで働く僕を見て、こんなことを言ってくる人がいた。

「もう一生かかっても使い切れないくらいのお金を手にしたんだから、リタイアしてのんびり暮らせばいいじゃないですか。それとも、まだお金がほしいんですか？」

当初は冗談だと受け流していたのだが、どうもそうじゃないらしい。取材記者から合コン相手の女の子まで、かなりの人が同じようなことを言ってくる。リタイアするだって？　なぜそんな話をしているのか、僕にはまったく理解できなかった。

たしかに、年末ジャンボ宝くじの季節になると「宝くじで一等が当たったら、会社を辞めて南の島でのんびり暮らしたい」といった声を耳にする。いまのあなたも、同じような気持ちでいるかもしれない。

でも、どこかおかしいと思わないだろうか。

大金を手に入れたら、リタイアして南の島でのんびり遊んで暮らす。

要するにそれは、「カネさえあれば、仕事なんかいますぐ辞めたい」という話なのだし、裏を返すと「働く理由はカネ」ということなのだろう。……僕の信念とは正反対とも言える考えだ。

いまも昔も、**僕はお金がほしくて働いているわけではない**。自分個人の金銭的な欲望を満たすために働いているわけではない。そんな程度のモチベーションだったら、ここまで忙しく働けないだろう。食っていく程度のお金を稼ぐこと、衣食住に困らない程度のお金を稼ぐことは、さほどむずかしいことではないからだ。

では、僕にとっての仕事とはなんなのだろう？

目的がお金じゃないとしたら、なんのために働いているのだろう？

ここはぜひ、自分自身の問題として考えてほしい。

あなたにとっての仕事とはどんなもので、あなたはなんのために働いているのか。

もちろん、「メシを食うため」とか「家賃を払うため」は理由にならないし、そこで考えを止めてしまうのは、ただの思考停止だ。衣食住に事足りていながらも働く、その理由を考えてほしい。

たとえば、中学時代の新聞配達は、僕にとって完全に「カネのため」の仕事だった。親に立て替えてもらったパソコン購入資金を返済する、ただそれだけのためにやった仕事だ。頭を渦巻くのは、あと何日続ければ完済できるのか、という計算ばかり。周りに新聞配達をやっているような友達は全然いない。

「お金持ちの家に生まれていれば、こんな苦労もせずにすんだのに」

「お金さえあれば働かなくてすむのに」

まさに、宝くじでの一攫千金《いっかくせんきん》を夢見る人々と同じような気持ちで、新聞配達をしていた。働くこととは「なにかを我慢すること」であり、お金とは「我慢と引き替えに受け取る対価」だった。

しかし大学生になり、インターネットに出会ってから、とくに自分の会社を起ち上げてからは「カネのため」という意識はきれいに消え去っていく。働くことが「我慢」でなくなり、お金に対する価値観も大きく変化していった。

あなたはいま、働くことを「なにかを我慢すること」だと思っていないだろうか？
そして給料のことを「我慢と引き替えに受け取る対価」だと思っていないだろうか？
もしそうだとしたら、人生はねずみ色だ。我慢に我慢を重ね、耐え忍んだ対価として
お金を受け取っているのだから。仕事を嫌いになり、お金を色めがねで見てしまうのも
当然だろう。**人生の中で、仕事はもっとも多くの時間を投じるもののひとつだ。そこを**
我慢の時間にしてしまうのは、どう考えても間違っている。

ゼロからの再スタートを切ろうとしているいま、僕はこのタイミングでもう一度、人
が働くことの意味、そしてお金というものの正体について考えていきたい。

お金から自由になる働き方

まず最初に考えたいのが、どうして「宝くじで一等が当たったら、会社を辞めて南の
島でのんびり暮らしたい」という発想が出てくるのか、という点だ。もっとストレート
に言えば、どうしてそんなに仕事が嫌なのか、である。

答えは、はっきりしている。

多くのビジネスマンは、**自らの「労働」をお金に換えているのではなく、そこに費やす「時間」をお金に換えている**のだ。

とりあえず定時に出社して、とりあえず昼食を30分ですませ、大して忙しくもないのにサービス残業する。定時で堂々と帰宅できる人は、なかなかいない。自らの大切な「時間」を差し出すことによって、やる気やがんばりをアピールし、給料をもらっている。

もし、時間が無尽蔵に湧き出るのであれば、それでなんの問題もないだろう。好きなだけ時間を差し出せばいい。

しかし、時間とはどこまでも有限なものだ。年齢や性別、貧富の差などに関係なく、どんな人にも1日24時間しか与えられていないし、1年は365日しかない。残業に費やした時間は、そのままプライベートの喪失というかたちで相殺《そうさい》される。

プライベートを削ってまで自らの時間を差し出すとなれば、仕事に縛られ、お金に縛られている感覚が強くなるのは当然だろう。これは「労働」の代わりに「時間」を提供する人にとって、永遠について回る課題である。

そんなことを考えていた2004年、僕は『稼ぐが勝ち』という本を出版した。

いかにも拝金主義的な、過激なタイトルに思えるだろう。けれど、僕の真意はまったく別のところにあった。僕があのタイトルに込めたメッセージは、**「お金（給料）とは『もらうもの』ではなく、『稼ぐもの』である」**というものだ。

自分の時間を差し出しておけば、月末には給料が振り込まれる。……そんなものは仕事ではないし、働いていても楽しくないだろう。たとえ会社員であっても、自らの給料を「稼ぐ」意識を持たなければならない。

そして積極的に稼いでいくために、自分は「時間」以外のなにを提供できるのか、もっと真剣に考えなければならない。

これからの時代、時間以外に提供可能なリソースを持っていない人、給料を漫然と「もらう」だけの人は、ほどなく淘汰《とうた》されていく。

給料を「もらう」時代は、もう終わった。すなわち「稼ぐが勝ち」、なのだ——と。

その意味でいうと、僕の主張は当時からほとんど変わっていない。強調しようとするあまり、誤解を招く表現を使ってしまったことへの反省は、当然ある。しかし、あのとき訴えようとしていたメッセージは、いまなお正しいものだと思っている。

仕事が忙しいとか、お金が足りないといった悩みは、表層的な問題に過ぎない。

人生が豊かになっていかない根本原因は、なによりも「時間」だ。

有限かつ貴重な時間を、無条件で差し出さざるを得ない状況。時間以外のリソースをなにも持ちえていない状況が、根本原因なのだ。

だから僕は、もう一度言いたい。

お金を「もらう」だけの仕事を、お金を「稼ぐ」仕事に変えていこう。
儲けるために働くのではなく、お金から自由になるために働こう。

僕は20代の早い段階で、お金から自由になることができた。それはたくさんのお金を得たからではない。仕事に対する意識が変わり、働き方が変わったから、お金から自由になれたのだ。

どんな仕事にも「やりがい」はある

やりがいのある仕事がしたい。

就活中の学生たち、また転職を考えている若者たちの相談を受けるとき、必ずと言っていいほど出てくるフレーズである。

たしかに、仕事にやりがいを感じられず、すべてが「我慢」の仕事になってしまっているのだとすれば問題だ。最近ではやりがいのある仕事を探して、社会起業家や途上国でのボランティア活動などに注目する若者も増えてきた。いずれも大事なことだろう。僕自身も２０１１年の東日本大震災にあたっては、被災地まで支援物資を運んだり、ツイッターで安否確認情報の拡散に寝る間を惜しんで協力したりした。

しかし、前々から疑問に思っていることがある。

そもそも、やりがいとは「見つける」ものなのだろうか？

どこか遠い場所に「やりがいのある仕事」が転がっていて、それを探し求める宝探しが、あるべき就職・転職活動なのだろうか？

僕の考えは違う。

やりがいとは「見つける」ものではなく、自らの手で「つくる」ものだ。そして、どんな仕事であっても、そこにやりがいを見出すことはできるのだ。

こんな話をすると、「サラリーマン経験もないのに、適当なことを言わないでほしい」「経営者側の人間に、会社員の気持ちがわかるか」といった反発が出てくる。たしかに、僕はサラリーマン経験がない。学生のときに起業しているので、「入社」したこともないし、「上司」というものを持った経験もない。サラリーマン特有の悩み、息苦しさ、ジレンマを知らないと言われれば、そうなるのだろう。

しかし、会社ではないものの、僕もかなり厳しい環境での仕事に従事した。刑務所に身柄を拘束されての作業、すなわち「懲役」である。


あまり知られていないことだが、「懲役」とは本来、受刑者を刑務所などの施設に拘置して、なんらかの刑務作業（仕事）をおこなわせる刑罰のことを指す。

つまり「懲役2年6カ月」とは、ただそれだけの期間刑務所に閉じ込められるのではなく、「懲罰としての仕事」を2年半にわたって課せられる、という意味なのだ。もちろんここでの仕事には社会復帰に向けて経験を積むという側面もあるのだが、字義《じぎ》的には「懲罰としての仕事」だ。

そこには、誰にでもできる退屈な単純労働があり、理不尽な上司とも言うべき先輩受刑者がいた。もちろん会社とは違って、辞表を叩きつけることもできないし、ウサ晴らしに酒を飲みに行くこともできない。そんな状況でも、僕は仕事にやりがいを見出すことができた。ふてくされることなく、ひたすら働き、確かな喜びを実感していった。

僕が最初に与えられた仕事は、無地の紙袋をひたすら折っていく作業だった。長野刑務所への移送が決まる前、東京拘置所に身柄を置かれた翌日のことである。

与えられたノルマは1日50個。担当者から折り方のレクチャーを受け、さっそく作業を開始する。ところが、意外にこれがむずかしい。当初は「たったの50個？」と思っていたのに、時間内にノルマ達成するのもギリギリだった。いくら不慣れな作業だとはいえ、くやしすぎる結果だ。

どうすればもっと早く、もっとうまく折ることができるのか？　レクチャーされた折り方、手順にはどんなムダがあるのか？　折り目をつけるとき、紙袋の角度を変えてはどうか……？

担当者から教えてもらった手順をゼロベースで見なおし、自分なりに創意工夫を凝《こ》らしていった。その結果、3日後には79個折ることができた。初日の1・5倍を上回るペースだ。単純に楽しいし、うれしい。

仕事の喜びとは、こういうところからはじまる。

もしもこれが、マニュアルどおりの折り方で50枚のノルマをこなすだけだったら、楽しいことなどひとつもなかっただろう。いわゆる「与えられた仕事」だ。

しかし、マニュアル（前例）どおりにこなすのではなく、もっとうまくできる方法はないかと自分の頭で考える。**仮説を立て、実践し、試行錯誤をくり返す。そんな能動的なプロセスの中で、与えられた仕事は「つくり出す仕事」に変わっていく**のだ。

仕事とは、誰かに与えられるものではない。紙袋折りのような単純作業でさえ、自らの手でつくっていくものなのである。

その後、長野刑務所に移送されてからは、介護衛生係という仕事に就くことになった。高齢受刑者や身障受刑者らの世話をする、介護士みたいな仕事だ。お風呂の補助からおむつの世話まで、さらには掃除、洗濯、散髪、ひげ剃りなど、なんでもやった。もちろん、積極的に「やりたい仕事」ではない。それでも、高齢受刑者の体を起こしてあげるときのコツをつかんだり、バリカンを使った散髪のテクニックを覚えていくこと、自分の成長を実感することは、楽しいものだった。

だから僕は、自分が経営者でなかったとしても、たとえば経理部の新入社員だったとしても、その仕事に「やりがい」を見出す自信がある。

経理部に配属されたとしたら、より効率的な経理決算システムをつくったり、入力時間を半分で終わらせる方法を工夫したりと、どんどん前のめりになって仕事をつくり出していくだろう。そうやって自らの手でつくり出した仕事は、楽しいに決まっている。

覚えておこう。

やりがいとは、業種や職種によって規定されるものではない。

そして「仕事をつくる」とは、なにも新規事業を起ち上げることだけを指すのではない。**能動的に取り組むプロセス自体が「仕事をつくる」こと**なのだ。

すべては仕事に対する取り組み方の問題であり、やりがいをつくるのも自分なら、やりがいを見失うのも自分だ。どんな仕事も楽しくできるのである。

仕事を好きになるたったひとつの方法

これは自分でも不思議だったのだが、僕は受験勉強が好きだった。学校の勉強はあんなに嫌いだったのに、中高時代はとてつもない落ちこぼれだったのに、受験勉強だけは好きになることができた。

なぜ好きになったのだろう？

仕事でも勉強でも、あるいは趣味の分野でも、人が物事を好きになっていくプロセスはいつも同じだ。

人はなにかに「没頭」することができたとき、その対象を好きになることができる。スーパーマリオに没頭する小学生は、ゲームを好きになっていく。ギターに没頭する高校生は音楽を好きになっていく。読書に没頭する大学生は本を好きになっていく。そして営業に没頭する営業マンは、仕事が好きになっていく。

ここで大切なのは順番だ。

人は「仕事が好きだから、営業に没頭する」のではない。

順番は逆で、**「営業に没頭したから、仕事が好きになる」**のだ。

心の中に「好き」の感情が芽生えてくる前には、必ず「没頭」という忘我《ぼうが》がある。読書に夢中で電車を乗り過ごしたとか、気がつくと何時間も経っていたとか、いつの間にか朝を迎えていたとか、そういう無我夢中な体験だ。没頭しないままなにかを好きになるなど基本的にありえないし、没頭さえしてしまえばいつの間にか好きになっていく。

つまり、**仕事が嫌いだと思っている人は、ただの経験不足**なのだ。

仕事に没頭した経験がない、無我夢中になったことがない、そこまでのめり込んだことがない、それだけの話なのである。

もちろん、仕事や勉強はそう簡単に没頭できるものではない。

たとえば、没頭のいちばん身近な例といえば、ゲームやギャンブルだろう。

僕も学生時代には、危険なくらい競馬や麻雀にハマっていた。わかりやすい刺激と報酬、そして快感がセットになったギャンブルは、脳科学的に見ても人をたやすく没頭させるメカニズムになっている。近年、ソーシャルゲームにハマる人が後を絶たないのも、同じ理由によるものだ。

しかし、仕事や勉強にはそうした「没頭させるメカニズム」が用意されていない。もともと物事にハマりやすい僕でも、学校の勉強がおもしろくない時期は長かったし、新聞配達のアルバイトなんてまったくおもしろくなかった。

じゃあ、どうすれば没頭することができるのか？

僕の経験から言えるのは、**「自分の手でルールをつくること」**である。

受験勉強を例に考えよう。前述の通り、僕は東大の英語対策にあたって、ひたすら英単語をマスターしていく道を選んだ。文法なんかは後回しにして、例文も含めて単語帳一冊を丸々暗記していった。もしもこれが英語教師から「この単語帳を全部暗記しろ」

と命令されたものだったら、「冗談じゃねーよ」「そんなので受かるわけねーだろ」と反発していたと思う。

しかし、自分でつくったルール、自分で立てたプランだったら、納得感を持って取り組むことができるし、やらざるをえない。受動的な「やらされる勉強」ではなく、能動的な「やる勉強」になるのだ。

受験勉強から会社経営、それに紙袋折りまで、僕はいつも自分でプランを練り、自分だけのルールをつくり、ひたすら自分を信じて実践してきた。会社経営にあたっても、MBAを出たわけでもなければ、経営指南書の一冊さえ読んだことがない。

ルールづくりのポイントは、とにかく「**遠くを見ないこと**」に尽きる。

受験の場合も、たとえば東大合格といった「将来の大目標」を意識し続けるのではなく、まずは「1日2ページ」というノルマを自分に課し、来る日も来る日も「今日の目標」を達成することだけを考える。

人は、本質的に怠け者だ。長期的で大きな目標を掲げると、迷いや気のゆるみが生じて、うまく没頭できなくなる。そこで「**今日という1日**」**にギリギリ達成可能なレベルの目標を掲げ、今日の目標に向かって猛ダッシュしていく**のである。

これはちょうど、フルマラソンと１００メートル走の関係に似ている。

フルマラソンに挫折する人は多いけれど、さすがに１００メートル走の途中で挫折する人はいない。どんなに根気のない人でも、１００メートルなら集中力を切らさず全力で駆け抜けられるはずだ。

ペース配分なんかいらない。余力を残す必要なんかない。遠くを見すぎず、「今日という１日」を、あるいは「目の前の１時間」を、１００メートル走のつもりで全力疾走しよう。

「やりたいことがない」は真っ赤な嘘だ

学生たちの集まる講演会で、質疑応答タイムに入る。そうすると、質問者のパターンはおよそ次の２つに分けられる。

まずひとつは、勢いよく手を挙げて「とにかく成功したいんです！　これからの時代、どんなビジネスが有望だと思われますか⁉」と迫ってくる、野心むき出しの学生。彼らに対して、安易に「答え」を教えることはしない。自分が好きなことをやればいいと思うし、学生ならなおさらそこからはじめるしかないだろう。

そしてもうひとつが「僕はやりたいことがなく、就きたい仕事がありません。この先どうしたらいいでしょう？」という消極的な学生だ。

やりたいことがない。就きたい仕事が見当たらない。はたして、その人はほんとうに「やりたいことがない」のだろうか？　僕はこんなふうにたずねる。

「きみ、好きな女優さんはいる？」

「ええっ？　まあ……新垣結衣《あらがきゆい》さんとか」

「なるほど、ガッキーが好きなのね。じゃあさ、ガッキーと会ってみたいと思わない？」

「それは、会いたいです」

「じゃあ、どうやったら会えるようになるだろう？　たとえばガッキーと共演できるような俳優さんになるとか、ガッキー主演の映画を撮る監督さんになるとか、テレビ局で働くとか、いろんな道があるよね。それができたら幸せだと思うでしょ？」

「え、ええ。でも僕にはとても……」

「ほら、きみだって『やりたいことがない』わけじゃないんだ。問題は『できっこない』と決めつけて、自分の可能性にフタをしていることなんだよ。別に俳優さんになれとは言わないけど、ちょっと意識を変えてみたらどうかな？」

なるべく話をわかりやすくするため、好きなタレントさんなどを糸口に話すことが多いのだが、言いたいことは伝わるだろう。

海外の旅番組を見ていて、フランスの田園風景が映る。「こんなところに住めたら最高だなあ」と思う。英語に堪能な人を見て、羨ましく思う。自分と同年代のベンチャー起業家に刺激を受ける。

……それでも、これといったアクションを起こさないのは、なぜか？

理由はひとつしかない。

最初っから「できっこない」とあきらめているからだ。

やってもいないうちから「できっこない」と決めつける。自分の可能性にフタをして、物事を悲観的に考える。自分の周りに「できっこない」の塀《へい》を築き、周囲の景色を見えなくさせる。

だからこそ、次第に「やりたいこと」まで浮かんでこなくなるのだ。欲望のサイズがどんどん小さくなっていくのである。

逆にいうと、**「できっこない」という心のフタさえ外してしまえば、「やりたいこと」**

なんて湯水のようにあふれ出てくるのだ。

僕自身、宇宙事業から再生医療、それからオンラインメディアまで、やりたいことで頭がいっぱいだ。どうしてそんなにやりたいことが出てくるかといえば、すべての物事に対して「できる！」と確信しているからである。

注意しよう。仕事でも勉強でも、あるいは恋愛であっても、人は「できない理由」から先に考えると、どんどんネガティブになっていく。

自分がいかにダメな人間なのか、どれほど不幸で恵まれない人間なのか、どんなにモテない人間なのか。そんなことばかりが頭をよぎり、負の自己暗示を強くしていく。「だから僕にはなにもできない」のだと。真面目な話、ネガティブに「できない理由」を考えて好転する物事など、ひとつもない。

突き抜けられる人と、そうでない人の違いは、次の一点に尽きる。

物事を「できない理由」から考えるのか、それとも「できる理由」から考えるのか。

それだけだ。突き抜けられるかどうかは能力の差ではなく、意識の差なのである。

もしあなたが「やりたいことが見つからない」と悩んでいるのなら、まずは「できっこない」という心のフタを外していこう。何事も「できる！」という前提に立って、そこから「できる理由」を考えていくのだ。

あなたも必ず起業できる

多くの人が「できっこない」と決めつけているもののひとつに、起業がある。

これまで僕は、著書やメルマガ、ツイッターなどで一貫して「みんな起業するべきだ」と主張してきた。特に若い世代の人たちは、なにも怖れることなく、もっと気軽に、もっとスピーディーに起業するべきだと思っている。

とくにいまでは、インターネットやクラウドサービスの普及によって、起業にあたっての資金的なハードルは相当低くなっている。むしろ、やらない理由を探すほうがむずかしいくらいだ。

それでも、ほとんどの人は実行に移さない。会社の愚痴をこぼす人に「じゃあ、起業しちゃえばいいじゃん」と提案すると、「そんな投げやりなこと言わないでください！」と反発してくることも多い。「僕には堀江さんみたいな才能はないから無理です」と。みんな「起業なんて絶対にできっこない」と決めつけているのだ。

どうして、そう頑《かたく》なに「できっこない」と決めつけるのだろう？

起業はそんなにむずかしいことなのだろうか？

まず、数字で考えてみよう。総務省統計局のまとめによると、日本の企業数は412万以上にも及ぶ。内訳としては法人が約195万、個人経営が約217万という割合になっている（平成24年経済センサス）。

そして日本全体の就業者数は、およそ6300万人。

つまり単純計算するなら、**この国で働く人のうち「15人に1人が経営者」**なのだ。ひとりで複数の会社を経営しているパターンを差し引いて考えても、おそらく「20人に1人」くらいの割合に収まるだろう。

この数字を前にしても、まだ「できっこない」と言えるだろうか？　**誰でもできると考えるのが普通じゃないだろうか？**

電器屋のオヤジさんも、ラーメン屋の大将も、喫茶店のマスターも、みんな経営者としてお店を切り盛りしている。もちろん学歴なんて関係ない。僕の知っている店主のなかには、その日の売上げをレジから鷲《わし》づかみにして、そのまま夜の街へとくり出してしまう「経営者」だっている。経営の教科書的には完全にアウトだが、それでもどうにかなっているのが実際のところだ。

彼らが独立し、起業できた理由はひとつしかない。あれこれと「できない理由」を考えず、「できる理由」だけを考えたからだ。

会社は潰れても人は潰れない

ラーメン屋のオヤジさんたちも、ひとりの経営者である。これはイメージしやすい身近な「先輩」の例だろう。

とはいえ、開店から1年足らずで店を畳んでいくラーメン屋が多いのも事実だ。起業することは簡単でも、会社を維持発展させていくことはむずかしい。倒産のリスクを考え、躊躇してしまう人がいても不思議ではない。

しかし、これについても僕は**「リスクなどない！」と断言することができる。**

事業がうまくいかず、会社が倒産する可能性は誰にだってある。これは、今後新しいチャレンジをしていく僕にも十分ありうる話だ。しかし、たとえわずかな期間でも会社経営を経験しておくと、その人のビジネススキルは飛躍的に向上する。会社員を何年続けても到底身につかないような、仕事の本質を見抜く力だ。

たとえば営業マンの場合、自社商品やサービスの魅力を言葉巧みに語り、多くの人に売っていく能力には長《た》けているのかもしれない。しかし、それぞれの商品やサービスがどのようなコスト構造の上に成り立っているのか、原価率から粗利といったところまで正確に理解できている営業マンは少ない。

一方、経営者になると、会社まわりのお金の流れがすべて把握できるようになる。ひとつの商品、ひとつのサービスが顧客の元に届けられるまでにはどれだけの人が関わり、どこにどれだけのお金が流れていくのか、すべて理解できるようになるし、目を配らせなければいけなくなる。これは決定的な違いである。

だから、みんな自信を持っていい。

仮に自分の会社が倒産したところで、あなたという人間は潰れない。経営を通じて手に入れたビジネススキルは確実に「次」へと生かされるのだ。

自分の会社がなくなってしまうのは絶望的な経験かもしれないが、周囲をよく見回してみよう。財務がわかる人間はどこの業界でも引っ張りだこだし、なんならもう一度別の会社を起業したってかまわない。再チャレンジだって「できる」のである。

結局これも「できない理由」から考えるのか、それとも「できる理由」から考えるのか、というところにつながっていく。

起業によって「失うかもしれないもの」を心配するのではなく、起業によって「得られるもの」を考える。あるいは、会社員を続けることのデメリット――出世の遅さ、つまらない権力争い、足の引っ張り合いなど――を冷静に列挙してみる。それでも不安なときには、町の「経営者」たちを思い出す。20人に１人が「経営者」であることを思い出す。

そうすれば、僕が起業をすすめる理由もわかってもらえるだろう。いまの会社に不満があるのなら、行きたい就職・転職先が見当たらないのなら、**我慢を選ばず起業を選ぼう。**お金を「もらう」だけの仕事から、自ら「稼ぐ」仕事に変えていくのだ。

通帳ではなく自分に貯金する

仕事とお金の関係を考えるとき、僕がいつも思い出す光景がある。

小学校時代、３学期の初日を迎えた学校の講堂だ。

僕の通っていた小学校では、毎年冬休みが明けると、講堂に郵便局員がやってきて、子どもたちに「大切なお年玉を貯金しましょう」と呼びかけていた。いわゆる「お年玉貯金」というやつだ。

アルバイト代の使い道には口を出さなかった堀江家の両親だが、お年玉に関しては完全な貯金派だった。もしも勝手に使おうものなら、間違いなく鉄拳制裁が待っている。やむなく僕は、少ないお年玉を茶封筒に入れ、郵便局員に手渡していた。

「どうして貯金しなくちゃいけないんだろう？」

「貯金することにどんな意味があるんだろう？」

小学生のときに抱いたこの思いは、いまもまったく変わらない。貯金することの正当性について、親に聞いても、学校の先生に聞いても、納得のいく答えは返ってこなかった。「いざというときのため」とか「手元に置いてたら無駄遣いしてしまう」とか、意味不明の理屈でかわされていた。

おそらく彼らも、なぜ貯金するべきなのか、よくわかっていなかったのだろう。僕がそうだったように、僕らの親世代もまた「貯金は美徳」という価値観の中で育てられてきたのだ。

では、日本にはもともと貯金を美徳とするような文化があったのか？

これは、まったく違う。

郵便貯金が国民に広く普及していったのは、日本が日中戦争から太平洋戦争へと突入していく昭和10年代のことだ。

戦費調達に困った大蔵省に「国民貯蓄奨励局」が設立されたのが、昭和13年。ここで国を挙げての貯蓄奨励キャンペーンが展開される。「家は焼けても、貯金は焼けぬ」というスローガンは有名だ。そして昭和16年に制定された「国民貯蓄組合法」によって、すべての国民は職場や学校、住んでいる市町村の構成員となり、それぞれの組合を通じて郵便貯金を強制させられるようになる。こうして集められた国民の貯金が、国債の償還や軍需産業への融資に充てられていたことは言うまでもない。

要するに、日本人の「貯金は美徳」という価値観は、戦時下の政府によってつくられたものなのだ。まずは客観的事実のひとつとして、その点を理解しておこう。

それでもなお、「貯金がないと不安だ」と思う人は多い。

なぜ不安なのか？

僕の答えはひとつ。**自分に自信がないから**だ。

自信がないから将来の自分が不安になる。その不安を、貯金で穴埋めしようとする。

根底にあるのは、カネさえあればどうにかなる、というお金への妄信だ。

もしも自分に自信を持っていたら、手元のお金は広い意味での「投資」に回すだろう。たとえば毎月3万円を貯金する人と、毎月3万円をなんらかの自己投資に充てている人と、どちらの将来に可能性を感じるかといえば後者だ。

貯金という行為は、頭を使う必要がない。定期預金のように自動化することも可能だ。一方、投資となれば頭を使わざるをえない。株式投資だろうとスキルアップの自己投資だろうと、目標や戦略があってこそ成立するものだ。


だから、僕はこう考えることにしている。

貯金に励み、わが子や教え子たちにまで貯金を推奨する人たちは、**面倒なことを考えたくないだけ**なのである。

お金のことも、将来のことも、自分自身の生き方も、なにひとつ真剣に考えたくない。自分を信じられず、他人を信じられず、お金だけしか信じるものがなく、「いざというときのため」に貯金をし、いざとなったらカネで解決しようとしている。そんな態度が、ほんとうに美徳と呼べるのだろうか?

僕に対して、「カネのことしか頭にない守銭奴《しゅせんど》」といったイメージを持っている人は多いだろう。そして僕自身、誤解を放置したまま生きてきたところがあったのも事実だ。ライブドア時代には、若い世代の心に火を点けようと、お金について過激なメッセージを発することも多かった。堀江貴文という人間が「お金」について語ることの危うさ、再び誤解を招く可能性についても十分理解しているつもりだ。

それでも僕は、お金の正体を知り、お金についての考え方を変えるだけで、働き方や生き方も変わってくるものだと思っている。そもそもお金とは何なのか、お金の意味と価値について、じっくり考えてみよう。

お金よりも大切なものとは？

そもそもお金とは何なのか？

この問いに対して、僕はいつも次のように答えている。

「お金とは『信用』を数値化したものである」

抽象的でわかりにくい言葉だろう。簡単に説明していきたい。

たとえば、あなたの財布に入っている一万円札。これは日本銀行が国の中央銀行として発行する「日本銀行券」だ。もちろん印刷物としての原価から考えると、この紙切れにはとても一万円分の価値はない。せいぜい数十円程度だろう。

それではなぜ、福沢諭吉《ふくざわゆきち》の肖像画の入った紙切れが一万円分の価値を持つものとして成り立っているのだろうか。これはひとえに、国や日本銀行への「信用」のおかげなのである。国が定めた法定通貨だから間違いない、日本銀行が発行しているのだから間違いない、まさか日本国や日本銀行が潰れることはないだろう、という「信用」だ。

つまり、「お金＝通貨」とは、価値なきものに信用（クレジット）を付与した「しるし」に過ぎないのである。もちろん日本国や日本銀行への信用が失われたら、一万円札の価値は紙切れ同然になる。

それでは、「信用」をお金と切り離して考えてみよう。

たとえばヒッチハイクをしていた大学時代、素性を怪しまれ、なかなか乗せてもらえないことも当然あった。そんなとき、僕らの最終兵器となったのが学生証だ。東大の学生証を見せて「ほんとうに大学生なんです」と訴えると、意外とうまくいくのである。東大ブランドには「ただの若造を乗せるのは不安だけど、東大生だったら大丈夫だろう」

という社会的な信用があった。もちろん、これでヒッチハイクが成立するのなら、東大の学生証には交通費分の価値（信用）があったことになる。

あるいはあなたにも、終電を逃してしまったときに、泊めてくれる友達がいるだろう。引越するときに車を出して手伝ってくれる友達がいるだろう。住むところを失ったときに、「じゃあ、うちに住めよ」と居候《いそうろう》させてくれたり、食事をご馳走してくれる友達がいるかもしれない。

もしかするとあなたは「友達なんだし当然だ」と普通に受け入れているかもしれないが、これはあなたがホテル代や引越代、さらには食費や家賃に相当するだけの信用を手に入れている証拠なのだ。そしてしっかりとした信用を持っていれば、お金がなくても意外とどうにかやっていけるのである。

起業するにあたっても同じことが言える。

たとえ貯金が数千円程度だったとしても、確固とした信用さえあれば「お前がやるのなら」と、ある程度の融資を引き出すことも可能だろう。ここでの借金は単なる不足金の穴埋めではない。もっと積極的に、**信用をベースとして「時間」を買っている**のだ。設立資金を貯める時間を、融資というかたちでショートカットしているのである。

一方、お金を使って信用を買うことはむずかしい。

ビジネスで成功し、財を成していくと、お金目当てにすり寄ってくる人間が大勢いる。だが、そのお金でどれだけの信用が手に入るかは、かなり微妙なところである。うなるほどの財産を持ち、たくさんの人に囲まれながら、常に孤独を感じているセレブリティは意外と多い。どんなにたくさんのお金があっても、それで信用を買い、幸せを買うことはできないのだ。


つまり、こういうことである。

10の信用があれば、１００のお金を集めることができる。

けれども、１００のお金を使って10の信用を買うことはできない。

特にソーシャルメディアの誕生によって、この流れは一気に加速している。以前、「評価経済社会」を唱える評論家の岡田斗司夫《としお》さんとイベントで対談させていただいたとき、岡田さんはこんなたとえ話をされていた。

ツイッターで１００万人のフォロワーがいる人にとって、１億円の資金を集めることはなんらむずかしい話ではない。しかし、どこかの誰かが１億円の資金を投じても、決して１００万人のフォロワーをつくることはできない、と。

お金よりも「信用」が価値を持つ時代は、すでにはじまっているのだ。

だから僕は言いたい。

お金に投資する時代は、もう終わった。

これからの時代を生きるあなたには、「お金」ではなく、自らの「信用」に投資することが求められている。**ほんとうに困ったとき、人生の崖っぷちに追い込まれたとき、失敗してゼロに戻ったとき、あなたを救ってくれるのはお金ではなく、信用なのだ。**

ゼロの自分にイチを足す

それでは、自らの「信用」に投資する、とはどういうことだろう？

これが貯金であれば、話は早い。収入の何パーセントを貯金に回そうとか、積立用の口座をつくろうとか、小銭は全部貯金箱に入れようとか、いろんな「こうすればお金が貯まる」の具体例を紹介できる。

しかし、信用となるとそうはいかない。

たとえば、あなたが率先してボランティア活動に参加したり、多額の寄付をしていたとしよう。それについて、「すばらしい人だ」と評価してくれる人もいれば、「信用ならない偽善者だ」と反発する人もいる。ここばかりはどうにもできない。相手がどのように評価し、信用してくれるかどうかは、こちらでコントロールできる問題ではないのだ。特に、なにもないゼロの人間が「わたしを信じてください」と訴えても、なかなか信用してもらえないだろう。

それでも、ひとりだけ確実にあなたのことを信用してくれる相手がいる。

「自分」だ。

そして自分に寄せる強固な信用のことを、「自信」という。

僕自身の話をしよう。学生時代、僕は自分にまったく自信を持てなかった。中学高校では落ちこぼれだったし、女の子にはモテないし、大学に入っても麻雀や競馬に明け暮れる毎日だ。コンプレックスの塊で、自分という人間を信じるべき要素が、どこにも見当たらなかった。

しかし、徐々に自分に自信を持てるようになっていく。

それはひとえに「小さな成功体験」を積み重ねていったおかげである。ヒッチハイクで心の殻を破り、コンピュータ系のアルバイトに没頭する過程で、少しずつ「やるじゃん、オレ！」と自分の価値を実感し、自分のことを好きになっていった。

なにもない「ゼロ」の自分に、小さな「イチ」を積み重ねていったのである。

さて、大切なのはここからだ。

自分に自信を持てるようになると、他者とのコミュニケーションにも変化が出てくる。誰に対してもキョドることなく、堂々と振る舞えるし、多少むずかしい仕事を依頼されても「できます！」と即答できるようになる。ハッタリをかませるようになる。

会社を起ち上げて間もないころ、僕はいつも強気にハッタリをかまし、技術的に可能かどうかわからない案件までガンガン引き受けていた。受注してから書店に走り、専門書を読み込んで対応することもしばしばだった。

よくわからないまま引き受けることに、不安はなかった。「このレベルの仕事ならできる」と考えるのは、自信のない人の発想だ。ほんとうに自信があれば、どんな仕事に対しても「自分ならできる」という自分基準の判断を下すことができる。

ハッタリをかますこと、背伸びをすることは、決して悪いことじゃない。**他者からの信用を獲得していくために、絶対に乗り越えなければならないハードル**なのだ。80の力しかないのに100の仕事を引き受け、それを全力で乗り越える。すると次には120の仕事を依頼してもらえるようになる。信用とは、そうやって築かれていくものなのだ。

プライベートでも同じである。初対面の人ばかりが集まる飲み会に誘われたとき、目上の人ばかりがいるパーティーに誘われたときでも、自分に自信があれば物怖じせずに参加して、そこから新しい関係を築くことができる。

100人の人間と知り合って、100人すべてから信用されることはないだろう。あなたの努力や人間性にかかわらず、あなたを嫌う人は一定数いる。あなたの理解者となってくれるのは100人中10人程度かもしれない。でも、それでいいのだ。もしも100人中10人が理解してくれるのなら、1000人に会えば100人が理解してくれる。万人から愛されようと自分の信念を曲げるのではなく、単純に分母を増やしていけばいいのだ。

信用の「ゼロからイチ」は、まず自分で自分を信じるところからはじまる。

あなたは自分のことを信じているだろうか？

積み重ねた「イチ」の先に見えてくるもの

以前、メルマガ読者から「どうすればラクができますか？」という単刀直入な質問を受けたことがある。「堀江さんの過去を振り返って、これをすればラクができるよ、ということがあれば教えてください」と。

きっとあなたも、大なり小なり似たような答えを求めているのではないだろうか。

このとき僕は、こんなふうに回答した。

「ものすごく苦労をすると、その先にラクが待っている可能性もあります。自分で『苦労していない』と言う人がいたとしても、それは本人が苦労だと思っていないだけで、周りから見たら苦労しているものです。逆に、自分が『苦労だ』と思っていることに限って、周囲には苦労と映りません。ですから、周りの人から『苦労してるな』と思われることをして、その先にあるラクをつかんでください」

世間的な僕のイメージからすると、意外な答えかもしれない。

仕事や人生においてラクをすること。それは、掛け算を使うということだ。5＋5で10の成果を出すのではなく、5×5で25の成果を出す。

同じ時間、同じ労力を使いながら、より大きな結果を残していく。僕がメディアに登場するようになって以来、くり返し訴えてきた「掛け算によるショートカット」だ。

しかし、これまでの僕はショートカットの有効性を強調するあまり、その前提にあるはずの「足し算」部分について、ほとんど語ってこなかった。

人は誰しもゼロの状態からスタートする。

そしてゼロの自分にいくら掛け算をしても、出てくる答えはゼロのままだ。

わかりやすい話をしよう。

まったくモテないオタク男子が、「掛け算によるショートカット」を求めて恋愛テクニック本を読み漁る。最適なデートコースや、おすすめのレストラン、注文するべきカクテルの種類などを徹底的に調べ尽くす。

はたして、これで一挙にモテまくるようになるだろうか？

もちろん無理である。なぜなら、彼に欠けているのは恋愛テクニックではなく、もっと根本的な「自信」だからだ。まずはテクニック以前に、積極的に女の子と会話を交わし、振られる場面では思いっきり振られ、恋愛経験を積み重ねていかなければならない。ビジネス書を山ほど読んでも一向にビジネススキルが上がらない人と、まったく同じである。**知識やテクニックを覚えるのは、イチを積み重ねたあとの話だ。**

僕がメルマガで答えた「ものすごく苦労をすると、その先にラクが待っている可能性もあります」とは、そういうことだ。最初の一歩は「足し算」であり、「掛け算」を考えるのはずっと後の話なのだ。

もし、あなたが仕事で成功して、人生の成功者になりたいと思っているのなら、仕事術の本を読む前にやるべきことがある。

掛け算を覚える前に、足し算を覚えよう。他者の力を利用する前に、自分の地力を底上げしよう。同じ3を掛けるでも、2×3よりも5×3のほうが大きいように、自分が2なのか5なのか10なのかによって、結果は何倍にも違ってくる。ゼロからイチへ、そしてできれば5や10へ、自分をもっと積み重ねていこう。

やりたいことは全部やれ！

ゼロからイチへの足し算をくり返し、自分に自信を持てるようになる。

何事に対しても「できる！」という前提に立って、「できる理由」を考えていく。

そうすると、目の前にたくさんの「やりたいこと」が出てくるようになる。あれもやりたい、これもやりたい、という状態だ。自分がほんとうにやりたいことは何なのか、道に迷うこともあるだろう。

僕からのアドバイスはひとつ、「**全部やれ！**」だ。

ストイックにひとつの道を極める必要なんてない。やりたいことは全部やる。節操がないとか一貫性がないとか批判されようと、全部やりきる。僕はそうして生きてきた。

なぜなら、**人は「ここでいいや」と満足してしまった瞬間、思考停止に突入してしまうのだ。**

そして思考を停止した人は、一気にオヤジ化してしまう。

常識に縛られ、前例を重んじ、新しい可能性や未知へのチャレンジをすべて拒絶し、たとえ20代であっても心がオヤジ化してしまうのだ。酒を飲めば「あのころはよかった」と思い出話をくり返し、若い世代の頭を押さえつける。

僕は絶対にそんな人間にはなりたくないし、できればあなたにもそうなってほしくない。人生のどの段階においても「いま」がいちばん楽しく、充実している自分でありたい。だからこそ、「全部やれ！」なのである。

常に新しい分野に目を向け、新しい出会いをつくり、新しい情報を浴びて、思考と行動をくり返す。止まることなく、休むことなく、動き続ける。

思考停止が持つ力を甘く見てはいけない。人は少しでも油断すると思考停止に足を踏み入れ、「ここでいいや」と安住の地を求めてしまう。

たとえば僕は、なにを食べたいか聞かれたときに「なんでもいい」と答える人が嫌いだ。なぜならそれは「自分の希望も考えたくないし、あなたの希望を斟酌《しんしゃく》するのも面倒くさい」という思考停止のアンサーだからである。

平日のランチひとつをとっても、今日の自分は誰と、なにを、どの店で食べたいのか、真剣に考える習慣を身につけておきたい。面倒くさいからといって、毎日同じ弁当屋で幕の内弁当を買っているようでは、あっという間にオヤジ化してしまう。

さらにもうひとつ、男性読者に向けて言っておきたいのが「結婚しても服は自分で買う」というルールだ。

結婚すると、着るものに頓着《とんちゃく》しなくなり、なんでも奥さんが買ってきたもので済ませる男性は多い。自分の身につけるものを他人任せにしてしまうなんて、完全な思考停止のサインである。別に、全身ユニクロでもかまわない。H&MやGAPの服でもかまわない。**大切なのは自分の手で選ぶ、という行為**なのだ。

僕はこれからも自分をオヤジ化させないため、退屈でつまらない人間に成り下がらないため、全力で働いていく。

常に思考実験をくり返し、それをガンガン実行に移していく。宇宙事業からオンラインメディア、そしてこれから出会うであろう新しいアイデアまで、さまざまな仕事に乗り出すし、すべてに全力を尽くす。絶対に「ここでいいや」と満足しない。なにがあっても、いくつになっても「あのころはよかった」とは口にしない。心から「いま」がいちばん楽しいと言えるように生きていく。

じゃあ、あなたはどうだろう？

どこかで思考することをやめ、前に進むことをやめ、前例や常識ばかりを振りかざす、心の「オヤジ」になっていないだろうか？

「できる理由」を考えず、「できない理由」ばかり口にしていないだろうか？

これからの自分がどんな働き方を選ぶのか、もう一度真剣に考えてほしい。それは自分の生き方を選ぶことに直結する。人はメシを食うために働くのではない。働くことは生きること。**僕らは、自らの生を充実させるために働くのだ。**

第4章

自立の先にあるつながり

――孤独と向き合う強さ

苦しいからこそシンプルに考える

シンプル・イズ・ベスト。

これは僕の信条とも言える言葉だ。ビジネスの決裁からプライベートでの買い物まで、僕は何事も即決即断で決めていく。かなり大きな予算の動くプロジェクトであっても、打ち合わせの現場でポンポンと結論を出していく。ひとつの熟考よりも三つの即決。そんな生き方、働き方が僕を支えてきた。

おかげで、こんなふうに聞かれることも多い。

「堀江さんって、悩むことはないんですか?」

それこそコンピュータのように、機械的なジャッジを下しているように映るのだろう。

もちろん、僕だって普通の人間だ。心臓に毛が生えているわけではないし、感情的になることもあれば、どうすればいいのかわからなくなることだってある。小学生のころには友達と喧嘩ばかりして、かんしゃくを起こしては机を投げ飛ばしていた人間なのだ。とてもコンピュータのように冷静沈着ではない。

ただ、僕は自分が感情的な人間だからこそ、身にしみてよく知っている。感情で物事を判断すると、ロクなことにならない。ましてや、感情で経営するなんて言語道断だ。

経営者となって以来、僕は感情で物事を判断しないよう、常に自分をコントロールしてきた。感情が揺らぎそうになったときほど、理性の声に耳を傾けた。悩むことをやめ、ひたすら考えることに努めてきた。そう、多くの人は混同しているが、**「悩む」と「考える」の間には、決定的な違いがある。**

まず、「悩む」とは、物事を複雑にしていく行為だ。ああでもない、こうでもないと、ひとり悶々《もんもん》とする。わざわざ問題をややこしくし、袋小路に入り込む。ずるずると時間を引き延ばし、結論を先送りする。それが「悩む」という行為だ。ランチのメニュー選びから人生の岐路《きろ》まで、**人は悩もうと思えばいくら**

でも悩むことができる。そしてつい、そちらに流されてしまう。

一方の「考える」とは、物事をシンプルにしていく行為である。

複雑に絡み合った糸を解きほぐし、きれいな1本の糸に戻していく。アインシュタインの特殊相対性理論が「$E=mc^2$」というシンプルな関係式に行き着いたように、簡潔な原理原則にまで落とし込んでいく。それが「考える」という行為だ。

物事をシンプルに考え、原理原則に従うこと。理性の声に耳を傾けること。

それはある意味、湧き上がる感情とのせめぎ合いでもある。ダイエットに際して、理性では「運動しなきゃ」と思いながら、感情が「でも面倒くさい」とサボりたがることもあるだろう。感情を退けて下す決断は、ときに大きな痛みを伴《ともな》うものだ。

ただ、これだけは確実に言える。

感情に流された決断には、迷いがつきまとい、後悔に襲われる可能性がある。

しかし、理性の声に従った決断には、迷いも後悔もない。過去を振り返ることなく、前だけを向いて生きていくことができる。

どれほど複雑に見える課題でも、元をたどればシンプルなのだ。

シンプルだったはずの課題を複雑にしているのは、あなたの心であり、揺れ動く感情である。そして自分の人生を前に進めていくためには、迷いを断ち切り、シンプルな決断を下していく必要がある。**決断できなければ、いつまでもこの場に留まり、「このまま」の人生を送るしかない。**

僕は前を向くため、一歩を踏み出すため、そして迷いを捨てて働くため、シンプルな決断をくり返してきた。この章では、決断の重要性と、決断できる人になるための条件について語っていきたい。

あなたはほんとうに「自立」できているか

大学受験のときも起業のときも、僕は「自分の頭で考える」という習慣を大切にしてきた。

たとえば、国内の温泉旅館に泊まったとしよう。すると翌朝の朝食は、ほぼ間違いなくご飯と納豆、焼き魚、味噌汁、それから海苔と生卵だ。この組み合わせを前にして「いやあ、旅館の朝食といえばこれだよね」とそのまま受け入れるのか。それとも「なんでどこの旅館も同じメニューなんだ？」と疑問を抱くのか。自分の頭で考えることは、こんな些細なところからはじまっていく。

どうして朝から炒め物を食べないのか。うどんやそばではダメなのか。案外カレーもいけるんじゃないか。世間の常識をもっと疑ってみてほしい。そうすれば世の中で常識とされるものの大半が、合理性を欠いたものであることに気がつくはずだ。

ただし、こうやって常識を疑い、自分の頭で物事を考えていくためには、ひとつ乗り越えておかなければならない条件がある。

自立だ。

特に、**親元を離れること**である。

精神的に親から自立して、物理的、そして経済的にも自立すること。この一歩を踏み出したとき、人はようやく「自分の頭」で物事を考えられるようになる。

念のため断っておくと、僕だって親に仕送りはするし、たまには旅行に連れて行くこともある。それは育ててくれた親に対する、当たり前の気持ちだ。あえて強調することでもないし、これまでほとんど公言してこなかった。

しかし、感謝の念とは別に、僕は両親との間に明確なラインを引くよう心掛けてきた。

具体的には、こんな一線だ。

どんなに困ったときにも、親には頼らない。

どんなに追いつめられても、親の前では弱音を吐かない。

もしもそれをやってしまったら、僕は再び「あの人たちの子ども」になってしまう。

血縁的に息子であることは変わらなくても、気持ちの上ではひとりの大人でありたい。

それが、僕にとっての自立だった。「親元を離れる」とは、単にひとり暮らしをすることではない。もっと精神的な問題なのだ。

たとえば、あなたが転職するときや引越を考えるとき、「きっとお父さんは反対するだろうな」とか「お母さんは心配するかもな」といった思いがよぎるとしたら、それはまだ「子ども」の意識が抜けず、自立しきっていない証拠だ。自立した大人の関係が築けていれば、そんな心配はしないはずだ。

実際、大学在学中に起業したとき、僕は自分の両親になんの相談もしなかった。起業したこと、自分が会社を経営していることを明かしたのは、たしか起業から2年ほど経ってからのことだ。

こんな僕の生き方を、ドライすぎると批判する人もいる。

しかし、ベタベタ甘えることが親孝行だとは思わない。自分の人生を生きず、親の望む人生を生きることが親孝行だとは思わない。**もし親孝行という言葉が存在するのなら、それは、一人前の大人として自立することだ。**

ここは年齢や性別に関係なく、自問してほしい。

あなたはほんとうの意味で親元を離れたと言えるだろうか？

両親への感謝とは別に、しっかりと自分の足で立っているだろうか？

なにかを決めるとき、親の顔がチラついていないだろうか？

いざとなったら、親に助けてもらえると思っていないだろうか？

親との関係は、そのまま社会との関係につながっていく。

親から自立できていない人は、「自分の頭で考える」という習慣づけができていない。そうなれば、会社や組織からも自立することができず、いつまでもおもちゃ売り場の子どもみたいに駄々をこねるだけだろう。自分ではなにもやろうとせず、ただ会社の不平不満をこぼすような人たちだ。

人はみな、誰かの子どもとして生まれる。そして親から自立できたとき、はじめて社会の中でも自立することができるのだ。

父から届いた一枚の手紙

親からの自立について、もうひとつだけ、どうしても触れておきたいことがある。

刑務所に収監されていた間、僕は1000冊に及ぶ本を読んだ。

小説からノンフィクション、伝記物から歴史物、ベストセラーからマニアックな学術書まで、せっかくの機会だと思ってとことん読み漁っていった。

その中で、僕がもっとも感動した小説はなにか？

これは間違いなく、重松清《しげまつきよし》さんの『とんび』である。

NHKとTBSでそれぞれドラマ化されたこともあり、読んだことのある人も多いだろう。収監中の感傷的な気持ちも手伝ってか、本を読んでこれほど泣いたことはない、というくらい滂沱《ぼうだ》の涙を流した。

物語の舞台となるのは高度成長期、瀬戸内海に面した広島県の小さな町だ。

運送会社でトラック運転手として働く父親の安男（ヤス）と、息子の旭（アキラ）の、親子愛をテーマにした作品である。

タイトルは、「とんびが鷹《たか》を生む」のことわざからとられている。ヤスと妻・美佐子の間に、待望の長男・アキラが生まれる。幼いころに親と離別したヤスにとって、アキラの誕生はようやく手に入れることのできた小さな幸せだった。しかし、突然の悲劇（妻の死）によって、その幸せは無残にも打ち砕かれてしまう。失意の底に落とされたヤスは、息子のためにもなんとか立ち上がり、失われかけた幸せを模索する。息子・アキラは、町の人から「とんびが鷹を生んだ」とからかわれるほど、素直で真面目な男の子に育っていく。そんなアキラは、ヤスにとってかけがえのない自慢の種だった。

しかし、高校生となったアキラは早稲田大学に進学することを決め、生まれ故郷を離れて上京する。そして大学を卒業した後も田舎に戻ることなく東京の出版社に就職し、さらには意外な女性との結婚を申し出てくる――。田舎に暮らす頑固で不器用な父親と、広島の田舎町を離れ、東京で自立していく息子の物語。

読みながら、どうしても過去の自分と重ね合わせてしまう。特に、アキラが上京していく別れのシーンでは、涙でページが見えなくなるほど泣いてしまった。こうして思い出すだけでも目頭が熱くなってくる。

僕はアキラほど「いい子」にはなれなかった。

ご存じの方もいるだろう。僕には離婚歴があり、離婚して以来一度も会っていない息子もいる。養育費こそ送金しているが、母親（元の妻）が再婚していることもあり、父親が僕であることも知らないのではないかと思う。

離婚する前、生まれたばかりの子どもを連れて、一度だけ里帰りしたことがあった。

普段は僕以上に無愛想な父が、見たこともないくらい大はしゃぎをして、実家の庭に鯉のぼりを立てた。僕はひとりっ子なので、父にとっては初孫の誕生だ。

庭に佇《たたず》む父は、飽きることなく鯉のぼりを眺めていた。

いかにも誇らしげに、何度も頷《うなず》く父。

僕は空をはためく鯉のぼりにはほとんど目をやらず、ただただ父の横顔を見ていた。

それは僕が東大に合格したときにも、僕の会社が上場したときにも見せたことのない、拍子抜けするほど無防備で柔和な表情だった。

あのとき父は、なにを思っていたのだろう？

逃げるように上京し、そのまま田舎を捨てた僕は冷たすぎるのだろうか？

独房でむせび泣きながら読んだ『とんび』には、あらためて自立することの厳しさ、そしてむずかしさを考えさせられた。

現在、両親が別居していることもあり、父とはほとんど連絡を取っていない。収監中、一度だけ父から手紙が届いた。「いろいろ大変なこともあるだろうけど、がんばれ」。そんな内容の、いかにも父らしい、ぶっきらぼうな手紙だった。考えてみると、父からもらったはじめての手紙だ。返事を書くべきかどうか、かなり迷ったが、結局書かないことにした。

書いてしまえば泣きごとを言いそうで、無力な子どもに戻ってしまいそうで、どうしてもそれだけはできなかった。父からの手紙はいまも手元にとってある。読み返すことはないだろうが、捨てることもないだろう。

それは、まさに僕らの関係そのものと言えるのかもしれない。

孤独と向き合う強さを持とう

決断とは「なにかを選び、ほかのなにかを捨てる」ことだ。

あなたはAを選んだつもりかもしれないが、それはBやCやDの選択肢を捨てたということでもある。たとえその選択が正しいものだったとしても、決断には大きな痛みが伴うこともあるだろう。

僕がそのことをもっとも痛感させられたのは、離婚の決断を下したときだった。

僕が結婚したのは１９９９年、まだ27歳のときのことである。特に結婚願望があったわけではない。付き合いはじめて半年あまりでの、いわゆる「できちゃった婚」だ。

当時は会社が上場を直前に控えていた時期でもあり、僕は多忙を極めていた。起業してから３年間、僕は全力で走り続けた。会社に寝泊まりしては朝日とともにパソコンに向かう毎日。旅行に行くことも、のんびり読書することも、飲みに行くことさえほとんどなかった。

しかも当時は、上場の是非をめぐって他の創業メンバーとの間に激しい対立が生じていた時期で、肉体的にも精神的にも疲れ果てていた。

きっと僕は、癒やしを求めていたのだろう。そして仕事以外のことを深く考える余裕がなかったのだろう。なんとなく知り合った女性と、なんとなくの流れで付き合い、なんとなくの流れで結婚した。

たしかに気のよい、一緒にいてリラックスのできる女性だったし、愛する気持ちがあってこその結婚だった。離婚したいまでも年に一度くらいはメールのやり取りをしている。

しかし、家庭的で保守的な彼女と、仕事と効率を最優先に考えていた僕は、完全に水と油だった。仕事や人生設計に対する考え方、家事や育児に対する考え方、そして夫婦や家族という枠組みに対する考え方。すべてが違っていた。

もちろん僕も、休日には子どもをお風呂に入れたし、おむつの交換もすすんでやった。子どもがお腹を壊したときに交換するおむつの匂いは、いまではいい思い出だ。妻の買い物にも付き合ったし、家庭や子育てを放棄していたわけではなかった。良き夫、良きパパであろうと、努力はしたつもりだ。

それでも、うまくいかない。なぜなら、僕の知っている「家庭」とは、あの八女《やめ》の町にあった堀江家なのだ。

子どもの授業参観なんか出る必要がないと考え、たった一度の家族旅行で夕食に立ち食いそばを選ぶ両親しか僕は知らないのである。率直に言って、温かい家庭がどういうものなのか、なにをどうすれば一家団らんができるのか、みんなどうやって良きパパ、良きママになるのか、僕はいまだにわからない。

結局、彼女とは2年ほどで離婚してしまった。これ以上、結婚生活を続けることはできない。このまま関係を続けても、お互い不幸になるだけだ。僕としては、十分に納得した上での結論だった。これで自由になれると、ホッとした部分さえあった。

ところが、ここから人生最大の孤独に襲われることになる。

妻と子どもの出ていった空間の、残酷なまでの広さ。子ども用のおもちゃ、カラフルな飾りつけ、妻の雑貨などがなくなった部屋の、絶望的な静けさ。

あれほど煩《わずら》わしく感じていた家庭を失うことが、こんなにも寂しいものなのか。

ひとりで住むには大きすぎる、殺風景な一軒家。それはまるで、がらんどうになった僕の心を映し出す鏡のようだった。

寂しさを紛らわすため、友達を呼んで大騒ぎしたり、知り合ったばかりの女の子を連れ込んでセックスしたりしてみても、すぐさま孤独がやってくる。家に帰るのが嫌で、酔いつぶれるまでバーを飲み歩く日々が続いた。しらふのまま家に帰ると、否が応でも「ひとり」を突きつけられるのだ。食事や睡眠は不摂生になり、女性関係もだらしなくなり、自分の弱さにほとほと嫌気が差してくる。

そんなある日、何気なく開けた引き出しの中から、一枚の写真が出てきた。カメラに向かって無邪気な笑顔を見せる、息子の写真だ。

写真を持つ手が震え、膝が震える。もう二度と、この子に会うことはできない。会ってはいけないと、理性の頭がそう言っている。しかし、感情は大きく揺さぶられる。自分が失ったものの大きさに、打ちのめされる。

かなりギリギリの選択だったと、いまでは思う。けれども僕は、このとき決めたのだ。逃げることをやめて、この孤独と正面から向き合おうと。

孤独だから、寂しいからといって、他者やアルコールに救いを求めていたら、一生誰かに依存し続けることになる。この孤独は、僕が自分の責任で引き受けなければならないものなのだ。

僕は、連日のバー通いにピリオドを打ち、仕事の合間を縫ってスポーツジムに通いはじめた。広すぎる一軒家も引き払い、新しいマンションに越した。外食の回数を減らし、自炊もするようにした。仕事にも俄然《がぜん》やる気が出てきて、再び全速力で走りはじめた。

近鉄バファローズの買収に名乗りを上げ、メディアに大きく登場するようになったのは、ちょうどそんなころのことだった。

当時の僕に、怖いものはなにもなかった。

あの孤独を乗り越えられたのだから、もうどんな困難に襲われても動じない。誰がなんと言おうと、自分の信じた道を突き進むことができる。

いま、なかなか一歩を踏み出せずにいる人は、孤独や寂しさへの耐性が足りないのではないだろうか。少しでも寂しくなったら、すぐに誰かを頼る。孤独を感じたら、誰かに泣きつく。そんなことでは、いつまでたっても自立することはできず、自分の頭で決断を下すこともできない。

友達は大事だ。家族も大事だ。でも、ひとりで孤独を受け止める強さを持ってこそ、真の自立を果たすことができるのである。

仲間の意味を教えてくれた社員たち

孤独と向き合え。寂しくても他者に頼るな。親に泣きつくな。

こんな話をしていると、「ホリエはとんでもない個人主義者だ」と眉をひそめる人もいるだろう。たしかに誰も信じない人の物言いに聞こえるかもしれない。

しかし、もし僕が個人主義に生きる人間だったら、そもそも会社なんかつくらない。僕の仕事から考えれば、フリーランスのSEやプログラマーとして一匹狼のように生きる道だってあるわけだ。

それでも会社をつくったのは、**自分が普通の人間であることを知っている**からだ。

これまで僕は、何人もの「天才」を見てきた。だからよくわかっている。僕は独創的なアイデアで勝負できる人間ではない。かなり飽きっぽいし、いい意味でのオタク――専門を極める人――になりきることができない。僕が感情や感性よりも理性を大切にしているのは、自分が天才じゃないことを正面から受け入れているからだ。

そして**自分が天才ではないからこそ、僕は会社をつくる**。優秀な仲間を集め、自分に欠けた部分を補ってもらう。そして一緒に大きな夢を実現したいと思っている。

仲間とは、孤独や寂しさを埋め合わせ、傷を舐《な》め合うために存在するのではない。互いの能力を補完し、ひとりでは実現できない夢を、みんなでかなえる。そんな他者のことを、仲間と呼ぶのだ。

だから僕にとって、社員となってくれる人たちはかけがえのない仲間だ。

ライブドア時代、僕は社長室も設けず、社員と同じフロアで、社員と同じスチール机に向かって仕事をしていた。僕がメールを処理している横を、社員たちが素知らぬ顔で通り過ぎていく。社長だからといって緊張したり、特別扱いしたりしない。そういう会社だった。たまたま僕は「経営」を仕事にし、ある人は「営業」を、またある人は「プログラミング」を仕事にしている。そこに本質的な違いはないからだ。

実際、僕は仲間に恵まれていた。それを強く思い知らされたのは、僕が逮捕され、東京拘置所に身柄を拘束されていたときのことだ。

先にも触れたが、僕のような特捜部案件の経済事件の被疑者は、すべての人間との接見が禁じられ、担当弁護士としか面会できない。取り調べ以外の時間は、ずっと独房に閉じ込められたままだ。外部の情報をシャットアウトするよう、新聞や雑誌の購読も許されない。世間がどうなっているのか、これから自分がどうなるのか、誰を信じればいいのか、まったくわからない。まさに、孤独との闘いを強いられることになるわけだ。僕は少しずつ追いつめられていた。

そんなある日、面会に訪れた弁護士さんたちが2枚の色紙を持ってきてくれた。

黙って差し出された色紙に目をやると、そこにはライブドア社員からの応援メッセージがびっしりと書き込まれていた。

個性豊かな一人ひとりの筆跡。

直球ど真ん中の熱い言葉で応援してくれる社員。明るく元気な言葉を送ってくれる社員。遠慮がちに小さく、けれど力強い言葉をしたためた社員。みんなの笑顔が浮かび、それぞれの思いを色紙に書き記す姿が、ありありと浮かんできた。

気がつくと僕は、声を上げて号泣していた。

すべてを失ったつもりでいたけど、なにも失ってない。

僕にはこんなに熱くて、こんなに最高な仲間がいるじゃないか！

涙が止まらない。

彼らだって、ライブドア社員というだけで、あのホリエモンの部下だというだけで、世間から白い目で見られているだろう。僕のことを恨みたくなったり、疑いたくなったこともあっただろう。

それでもみんな僕を信じて、こんなに熱いメッセージを送ってきてくれたんだ……。

……ありがたい。ただただ、ありがたかった。

大声で号泣する僕を見て、弁護士さんたちも泣いていた。

「いいんだよ、堀江君。どんなに泣いてもいいんだよ。涙と一緒に、嫌なこともすっきり洗い流せるんだから」

弁護士さんは、涙声で僕を励まそうとしてくれる。

そう、なにも恥ずかしがることじゃない。

精いっぱい突っ張って生きてきたけど、背伸びをして生きてきたけど、僕は弱くてちっぽけな人間なんだ。ひとりではなにもできない人間なんだ。

いま僕はこれだけたくさんの、すばらしい仲間に囲まれて生きている。働くことを通じて、こんな幸せに恵まれている。僕の歩んできた道は、決して間違いじゃなかった。心の底からそう思えた。

もしもいま、あの色紙にメッセージを書いてくれた元ライブドア社員に会えるとしたら、一人ひとりの目を見てお礼を言いたい。

みんな、ほんとうにありがとう。みんなと一緒に走り抜けた日々は、僕の宝だ。みんなを仲間にできたことを、心から誇りに思う。

ゼロを貫く「諸行無常」の原則

ライブドアという会社を失って、未練はないか。
そう聞かれたら僕は「ない」と即答できる。たしかに命がけで育てていった会社だ。誰よりも深い愛着はある。しかし、未練はない。**僕はすでに前を向いているからだ。**

僕には人生で一度だけ、引きこもりになっていた時期がある。

２００６年１月に逮捕され、保釈が認められたのが同年４月。そして東京地裁での初公判が同年９月のことだった。

この保釈から初公判までの約４カ月、ほとんど外に出ることがなかった。まず、保釈中の僕にはライブドア関係者との接触が禁止されていた。もしも接触し、それが露見してしまえば保釈金（僕の場合は3億円だった）は没収され、なおかつ保釈が取り消されて収監されることになってしまう。

とはいえ、僕はこの10年間、生活のほぼすべてをライブドアに捧げてきた。しかもライブドア関係者は、膨大《ぼうだい》な数にのぼる。「ライブドア関係者に会うな」とは、僕にとって「友人・知人に会うな」と言われているに等しかった。

そこで保釈された直後、まずは自分の携帯電話番号とメールアドレスを変更した。さらに、電話帳に載っているライブドア関係者の連絡先もすべて削除した。一人ひとりの名前を消すたびに、もうこの人と連絡を取ることはないのだ、もう二度と会えないのだ、と覚悟を決めていった。

テレビをつけると、いまだ僕の話題で持ちきりだ。まだ公判もはじまっていないとはいえ、当然僕は犯罪者として扱われている。テレビや新聞を見ることも嫌になる。電話が鳴ると、ライブドア関係者ではないのか、知人を装ったマスコミではないのかと不安になる。

そして僕は、一連の騒動を経て、軽い対人恐怖症になっていた。

長い勾留《こうりゅう》生活のせいもあり、人の視線が怖くなっていたのだ。しかも困ったことに、僕はどうも目立ちやすい風貌をしているらしい。これは太っているときも痩せているときも同じで、いくら帽子やめがねで変装しても、すぐに「あっ、ホリエモンだ！」と気づかれてしまう。自宅の外には週刊誌の記者が待ち構えており、彼らはたとえば僕がコンビニに行っただけでも「ホリエモン、失意のコンビニ生活！」といった、悪意に満ちた記事を仕立て上げることができる。

ブログを更新するにも、なにを書けばいいのかわからない。東京を脱出しようにも、保釈からしばらくは1泊までの旅行しか許可されない。当局の目を過剰に意識して、なにがどこまで許されるのか、戦々恐々としていた。ほんとうに、生まれて初めて経験する引きこもり生活だった。

そんな僕にとって大きな救いとなってくれたのが、ライブドアとは関係なく仲良くしてくれた幾人かの友人、それから2005年の郵政選挙に出馬した際に広島で知り合った、ボランティアスタッフたちだ。

おそらく、僕が郵政選挙に出馬したとき、ほとんどの人は「また堀江が売名行為を働いている」とか「どこまで権力志向が強いんだ」といったネガティブな見方をしていたと思う。それでも僕の訴えに共鳴し、私利私欲を越えて「日本を変えましょう!」と立ち上がってくれたのが、彼らボランティアスタッフである。

真夏の選挙戦は相当ハードなものだった。

僕自身、少なく見積もっても10万人以上の有権者と握手したし、徹底したドブ板選挙を展開した。結果としては地元のドン、亀井静香氏に敗れてしまった。それでも、あの厳しい選挙戦を志ひとつで戦ってくれたボランティアスタッフの熱意には心底感動したし、ほんとうに感謝している。

そんな流れもあり、保釈された僕が再び動き出そうとしたとき、真っ先に声をかけたのが彼らだった。いまでは宇宙事業をはじめとするさまざまな分野で、あのときと同じ熱意を持って伴走してくれている。やはり、かけがえのない仲間である。

ときおり、「堀江さんの座右の銘はなんですか?」と聞かれることがある。

もともと座右の銘など持っていないのだが、あまりに多く聞かれる質問なので、いつのころからか「諸行無常、ですよ」と答えることにしている。これは座右の銘でも仏教的な心構えでもなく、**世の中の真理**だ。

万物は流転《るてん》する。すべては流れる川のように、ひとときとして同じ姿をとどめない。たとえば鏡に映る昨日の自分と今日の自分は、どこにも違いがないように見える。しかし、5年10年と経てば大きな違いが出ているはずだ。それはどこかの段階で大きく変わったのではなく、日々刻々《こっこく》と小さな変化を積み重ねた結果なのだ。昨日の自分と今日の自分は、さっきの自分といまの自分は、違っているのである。

諸行無常の原則は、組織やビジネス、さらには人間関係にも当てはまる。

組織は動き、ビジネスは変化する。大小さまざまな出会いと別れが、人間関係を更新していく。**現状維持などありえない。僕は変わり、変わらざるをえない。**僕を取り囲む環境もまた、変わっていく。

なにを得ようと、なにを失おうと、未練など生まれるはずもないのだ。

成長のサイクルに突入しよう

経営者として大きな山の頂《いただき》をめざして駆け上がっていたとき、僕は逮捕された。証券取引法違反（風説の流布《るふ》、偽計取引、有価証券報告書の虚偽記載）の容疑だ。僕は自分の信じるところに従い、最後の最後まで無罪を主張した。そして司法は懲役2年6カ月の実刑判決を下し、僕は刑に服した。

この一連の流れについて、もはや多くを語るつもりはない。保身のために僕を裏切っていった人たちに対しても、恨む気持ちはない。

なぜならすべては諸行無常であり、僕は前を向いて生きていたいからだ。

自分に与えられた貴重な時間を、過去に費やしたくない。そうでなくとも僕の30代は、ほとんど裁判と服役に費やされてしまった。僕にはまだ、やりたいことがたくさんある。

もっともっと働きたいのだ。

ただしこうして振り返ってみて、ひとつだけ大きな反省点を挙げるとするなら、これまでの僕は「自分をわかってもらうこと」にまるで関心を払ってこなかった。誤解を誤解のまま放置し、とにかく目に見える結果を出すことだけに集中してきた。結果がすべてだと信じ切っていた。そこで生まれた多くの誤解が、あの逮捕につながっていった側面は否定できないだろう。

たとえば、これまで僕は共著も含めると50冊以上の本を出している。

いちばん最初に書いた本は、1998年の『Webクリエーターのための Webページ制作実践テクニック―HTML4・0対応』という技術書だ。それ以降は、ほとんどがビジネス書である。どうすれば成功できるか、どうすれば起業できるか、どうすれば仕事を効率化できるか、といった話を語り続けてきた。

しかし、これは最近編集者から指摘を受けて気がついたのだが、僕は過去の著書の中で「努力」という言葉をほとんど使っていない。僕に関する情報を徹底的に調べ尽くしてきた編集者は、口を揃えてこう言う。

「堀江さんはとんでもない努力家なんですね」

「これほどの働き者は見たことないですよ」

正直、最初はピンとこなかった。

もし、成果に向かって全力疾走することを「努力」と呼ぶのなら、努力するなんて当たり前のことだ。わざわざ「みんな努力しようよ」なんて野暮ったいことを訴える必要もなく、ただ「成果を出そう」と呼びかければいい。シンプルに、そう思っていた。また、自分が努力している姿を見せたくない、という気持ちもあったのかもしれない。

もう少しわかりやすく説明しよう。

人が前に進もうとするとき、大きく3つのステップを踏むことになる。

① 挑戦……リスクを選び、最初の一歩を踏み出す勇気
② 努力……ゼロからイチへの地道な足し算
③ 成功……足し算の完了

このステップを着実に踏むことで、小さな成功体験が得られる。そして小さな成功体験を積み重ねていった先に、成長がある。これはアスリートからビジネスマンまで、す

べてに共通する話だ。僕自身、このサイクルを高速回転させることによって成長してきたという自負がある。

努力という言葉には、どうしても古くさくて説教じみた匂いがつきまとう。できれば僕だって使いたくない。でも、**挑戦と成功の間をつなぐ架け橋は、努力しかない**。その作業に没頭し、ハマッていくしかないのである。

努力の重要性を説くなんて、ホリエモンらしくないだろう。

地道な足し算の積み重ねなんて、ホリエモンには似合わないだろう。

けれど、これが真っさらな「堀江貴文」の姿なのだ。これまでの僕は、周囲が期待する「ホリエモン像」を演じすぎたところがあったし、世間の誤解をおもしろがってもいた。そしてゼロ地点に戻ったいま、堀江貴文という人間を、できるだけストレートに伝えたいと思っている。

もう一度言おう。

成功したければ挑戦すること。

挑戦して、全力で走り抜けること。

その全力疾走のことを、人は努力と呼ぶ。僕は、堀江貴文は、どうやら滑稽《こっけい》なくらいに不器用な努力の人らしいのだ。

僕は世の中の「空気」を変えていきたい

アンデルセン童話に『裸の王様』という物語がある。

ある国に詐欺師がやってきて「愚《おろ》か者には見えない」という触れ込みの布でつくられた服を王様に献上する。王様にも家臣にもその服が見えない。なぜなら、詐欺師は服など用意していないからだ。でも、王様は自分には見えないと言い出すことができず、その「服」を着て、下着姿でパレードをする。

パレードを見物する誰もが「なんと美しい衣装だ」「すばらしいパレードだ」と絶賛する中、ひとりの子どもが大声で叫ぶ。

「王様は裸だ！」

あたりに気まずい雰囲気が流れる中、そのままパレードは進行していく。……およそこんなストーリーだ。

僕は間違いなく「王様は裸だ！」と叫ぶタイプの人間だ。

たとえそれが世間の常識であっても、おかしいと思ったらおかしいと主張する。納得できないことには、なにがあっても従わない。どうにも損な性分だと思うが、僕はそういう人間なのだ。おかげで生意気に見られたり、非常識だと憤慨《ふんがい》されたり、たくさんの批判を浴びてきた。

たとえば、ネクタイだ。

実刑判決が下り、収監される直前に田原総一朗《たはらそういちろう》さんと話をしたとき、こんなふうに言われたことがある。

「堀江さん、僕はあなたが２年半近くも社会から隔絶されることは、日本という国にとって大きな損失だと思っている。あなたはこの国を牛耳《ぎゅうじ》る年寄りたちから嫌われ、怖られ、ついには逮捕され、実刑判決まで食らってしまった。なぜか？　それは堀江さん、あなたがネクタイを締めなかったからだ。この国ではネクタイがすべてなんだ。ちゃんとネクタイを締めて、年寄りにゴマをすっていれば、球団買収だって成功しただろうし、フジテレビや選挙もうまくいったかもしれない。わかっているよね？」

「わかっています」

「もちろん逮捕されることも、なかったわけだ。だから聞きたい。堀江さん、どうしてネクタイ締めなかったの？」

実際、そのとおりだと思う。もしも僕がちゃんとネクタイを締めて、政財界の重鎮たちにゴマをすれる人間であれば、こんなことにはならなかったのだろう。たかがネクタイくらい我慢すればいいじゃないか、バカなこだわりだ、と笑う人もいると思う。

では、どうして僕はネクタイを拒否したのか？

これは僕なりに解釈する「**コモンセンス**」と「**コモンロー**」**の違い**だ。

たとえば、経団連の参加条項として「会合やパーティーではタキシードを着用すること」と書かれていたとしよう。それだったら、僕はなんの問題もなくタキシードを着る。明文化されたルール（コモンロー）に従うことに抵抗はない。

一方、「仕事ではスーツを着ること」や「偉い人と会うときにはネクタイを締めること」といった話は、どこにも明文化されたものではない。ただの慣習であり、空気であり、いい加減な常識（コモンセンス）だ。スーツやネクタイが好きなら別だが、嫌いだったら従う合理的な理由はない。

日本人は古くから自分たちを同じ民族、同じ日本人だと思ってきた。だから明治になるまで明文法が発達せず、暗黙の了解（コモンセンス）によって村社会を運営してきた歴史がある。僕にしてみれば、スーツやネクタイも暗黙の了解でしかない。

その証拠に、環境大臣が「クールビズ」を呼びかけた途端、みんな夏のネクタイをしなくなった。これはビジネスマンが温暖化問題を意識するようになったからではなく、ただ世間の「空気」が変わったからである。

僕は、政治家やリーダーの役割とは、まさにこの**「空気」を変えていくこと**ではないかと思っている。不況という名の空気。閉塞感《へいそくかん》という名の空気。そして、根深く蔓延《まんえん》する「できっこない」という空気。

これまで僕は、自分ひとりで突っ張ってきた。裸の王様を指さして、世の中の不合理を指さして、ひとり「なんでみんなネクタイなんかしてるの⁉」と大声で笑ってきた。それでみんな気づいてくれると思っていた。

でも、そんな態度じゃダメなのだ。世の中の空気を変えていくには、より多くの人たちに呼びかけ、理解を求めていく必要がある。

これからの僕は、この国のネガティブな「空気」を変えるため、いままで以上にガンガン働くし、情報発信にも努めていく。シンプルに考え、決断の痛みも正面から引き受けていく。そしてみんなに呼びかけたい。

自分の頭で考えて、自分の一歩を踏み出そう。あなたの一歩が大きなうねりとなって、社会全体を動かしていくのである。

第5章　僕が働くほんとうの理由

——未来には希望しかない

塀の中にいても、僕は自由だった

長野刑務所で過ごした約1年9カ月の日々は、僕になにをもたらしたのだろう。僕はなにかを学び、少しくらいは成長することができたのだろうか。それともなにも成長しないいまま、無益な時間を過ごしてしまったのだろうか。

いろいろな変化があったのは確かだ。高齢受刑者の介護など、これまでやったことのない仕事に携わることもできたし、たくさんの本を読む時間にも恵まれた。図らずも「獄中ダイエット」にも成功し、あらゆる意味で身軽になった。

一方、刑務所内でもメルマガの発行を継続するため、毎週手書きで原稿を書いていた。さまざまなビジネスプランを練り、読者からの質問や相談に答えていった。インターネットが使えない分、どうしても情報は紙媒体を中心としたオールドメディアに偏っていく。情報収集にインターネットをフル活用していた僕としては、かなりの痛手だ。それでも、スタッフにブログ記事やツイッター投稿などをプリントアウトしたものを差し入れてもらうことで、情報の偏りをカバーしていった。

考えてみればおかしなものだ。

塀の中に閉じ込められ、自由を奪われた僕が、塀の外で自由を謳歌しているはずの一般読者から、仕事や人生の相談を受けていたのだから。

そして思う。

「みんな塀の中にいるわけでもないのに、どうしてそんな不自由を選ぶんだ?」

刑務所生活で得た気づき、それは「**自由とは、心の問題なのだ**」ということである。塀の中にいても、僕は自由だった。外に出ることはもちろん、女の子と遊ぶことも、お酒を飲むことも、消灯時間を選ぶことさえできなかったが、僕の頭の中、つまり思考にまでは誰も手を出すことはできなかった。

だから僕は、ひたすら考えた。自分のこと、仕事のこと、生きるということ、そして出所後のプラン。思考に没頭している限り、僕は自由だったのだ。

あなたはいま、自由を実感できているだろうか。

得体の知れない息苦しさに悩まされていないだろうか。

自分にはなにもできない、どうせ自分はこんなもんだ、この年齢ではもう遅い——。

もしもそんな不自由さを感じているとしたら、**それは時代や環境のせいではなく、ただ思考が停止しているだけ**である。あなたは考えることをやめ、「できっこない」と心のフタを閉じているから、自由を実感できないのだ。

思考に手錠をかけることはできない。

そして人は考えることをやめたとき、後ろ手《で》を回され鍵をかけられる。そう、思考が硬直化したオヤジの完成だ。彼らはもはや考えることができない。考える力を失ってしまったからこそ、カネや権力に執着する。そこで得られるちっぽけな自由にしがみつこうとする。彼らオヤジたちに足りないのは、若さではなく「考える力」、また考えようとする意志そのものなのだ。

僕はオヤジになりたくない。

年齢を重ねることが怖いのではなく、思考停止になること、そして自由を奪われることが嫌なのだ。だから僕は考えることをやめないし、働くことをやめない。立ち止まって楽を選んだ瞬間、僕は「堀江貴文」でなくなってしまうだろう。

あなたは普段、どれくらい考え、どれくらい行動に移しているだろうか。借りてきた言葉を語る、口先だけの人間になっていないだろうか。

この最終章では、自由について、そして人が働き、僕が働くほんとうの理由について話を進めていきたい。

働くことは自由へのパスポート

子どものころに戻りたい、という声を聞くことがある。

すべてがキラキラ輝いていた少年時代に戻って、自由気ままな毎日を送りたい。なんの悩みもなかった日々を取り戻したい。夏になれば山でカブトムシを探し、冬になれば友達と雪合戦をして遊ぶような、無邪気な日々に帰りたい、と。

僕にはこの気持ちがさっぱり理解できない。

子ども時代に帰ってどうするんだろう？　いまさら小学生になって、なにがしたいんだろう？　学生時代に戻りたいとも思わないし、20代の自分に戻りたいとも思わない。

おそらく、子ども時代のほうが楽しかったという人たちは、「責任」の話をしているのだと思う。たしかに子どもは、責任を問われない。

高価な花瓶を割っても、誰かを怪我させても、あるいは消しゴムを万引きするようなことがあっても、最後の最後には親や教師が出てきて尻拭いをしてくれる。それが子どもだ。もちろん、こっぴどく叱られることはあるだろう。それでも最終的には大人が処理してくれるし、そうでなければ自分ひとりでは責任を取れない。

一方、大人になるとどうだろう？　仕事でミスをやらかしては「どう責任を取ってくれるんだ！」と怒鳴られ、大きなプロジェクトを任されては「責任重大だぞ」とプレッシャーをかけられる。何事にも無責任でいられた子ども時代が光り輝いて見えることも、あるかもしれない。

しかし、ここには大きな落とし穴がある。

責任が発生しないうちは、ほんとうの意味での自由も得られないのだ。無邪気に見える子どもたちは、圧倒的に不自由なのだ。

いつも親の都合に振り回され、なにをするにも大人の同意が必要で、自由に遊んでいるつもりでも、しょせんは親から「与えられた」自由だったりする。住む場所を決めることもできず、着る服さえも制限され、夕食のメニューすら決めることができない。「買ってもらう」「連れていってもらう」「食べさせてもらう」など、何事についても受け身にならざるを得ない。そう、ちょうど家族旅行で立ち食いそばを食べたり、巨人が負けると叩かれたり、といったように。

僕の結論はこうだ。

自由と責任は、必ずセットになっている。

責任を自分で背負うからこそ、自由でいられるのだ。

子ども時代を懐かしんでいる人は、責任の重みに耐えきれなくなっているだけだ。多少不自由であっても、できるだけ責任を遠ざけて生きていたい。そういう気持ちが「子ども時代に帰りたい」と言わせているのだ。でも、ほんとうの自由を手に入れれば、人生はうんと楽しくなる。

僕は、子どものころからずっと自由を求めてきた。

そして僕にとっての自由を手に入れる手段とは、とにかく働くことだった。

働くことで経済的に自立し、精神的にも自立し、ちゃんと自分で責任を取れる土台をつくる。そうすれば、すべてを選ぶのは自分になるのだ。

新聞配達からはじまり、塾講師、パソコン、そしてインターネットと起業。僕は少しずつ自らの自由を拡張し、「できること」を増やしていった。その過程でほんとうの仲間も手に入れていった。働くことは、自由へのパスポートなのだ。

この過程は、ロールプレイングゲームに似ているかもしれない。ゲームをはじめた当初、主人公にできることはほとんどない。粗末な武器を片手に、小さな村の周辺でザコキャラ相手に戦い、コツコツと経験値を貯めていく。少しでも強い敵と遭遇すると、簡単に倒されてしまう。

それでも地道にレベルアップしていくことによって、ようやく次の町まで冒険できるようになる。武器や防具を買いそろえ、仲間たちとパーティーをつくる。海を渡り、空を飛べるようになっていく。大きな自由を獲得していくわけだ。

いまあなたはどんな自由を手にしているだろう?

たとえば実家暮らしの学生やニートには、精神的な自由はあっても、経済的な自由はない。働いておらず、自立できていないからだ。

一方、会社や組織にぶら下がり、組織の言いなりになっている人たちは、経済的には自由なはずなのに、精神的な自由を失っている。考えることを放棄して、自分の人生を生きていないからだ。

考えるだけでは自由は得られない。そして働くだけでもいけない。常に自分の頭で物事を考えながら、地に足をつけて働くこと。**考えることと働くことは、どちらも欠かせない車の両輪なのだ。**

自由を手に入れるために、大きな責任を引き受けよう。

大きな責任を引き受けたときにだけ、僕たちは自由になれる。いまあなたが怯《おび》えている責任の重みは、そのまま自由の重みなのだ。

失敗なんか怖れる必要はない。**僕らにできる失敗なんて、たかがしれている。**

たとえ最大級の失敗が襲ってきてもマイナスにはならず、ただゼロに戻るだけだ。それは怖いことでもなんでもない。

消えることのなかった死への恐怖

新幹線に乗ると、のんびり景色を眺めたり、昼間から赤ら顔でビールを飲んでいるビジネスマンをよく見かける。気の重い出張の、ささやかな楽しみなのだろう。

僕は、この「のんびりする」ということができない。たとえば新幹線やタクシーでも、ほんの少しでも時間があればノートパソコンで仕事をするか、スマートフォンでの情報収集に充てる。女の子と一緒の飲み会でも同じだ。おもしろいアイデアを思いついたら、その場でスマートフォンを取り出しての仕事モードになる。これはもう、止めようにも止められない習慣となっている。

そんな僕を見て、あるとき「泳ぐのをやめたら死んじゃうマグロみたいに、堀江さんも働くことをやめたら死んじゃうんじゃないですか？」と言ってきた人がいた。

もちろん本人は冗談半分のつもりで言っているのだろうが、あながち間違っていない。いや、かなり核心を突いた言葉だ。

たとえば刑務所の中にいると、どうしても「なにもしない時間」ができてしまう。刑務所では18時になったら布団を敷かねばならず、20時30分からは書き物ができなくなる。そして消灯時間は21時だ。

消灯後すぐに眠れればいいけれど、なかなかそうもいかない。布団の中で翌日やることを考えたり、出所後のビジネスを考えたりしていても、ふと魔が差すようにネガティブな思いがよぎることがある。

誰かを恨むとか、過去を悔やむとか、そんな生易しいレベルの話ではない。

ただ純粋に、死を思うのだ。

僕はずっと死への恐怖にとらわれて生きてきた。いまもなお、その恐怖は強くある。

はじめて死を意識したのは忘れもしない、小学1年生の秋である。

学校からの帰り道、一緒に下校していた友達と別れ、自宅へと続く一本道を歩いていたときのことだった。深まる秋に、すでに空は赤く染まっている。足元には枯れ葉が舞い上がり、冷たい風の吹き抜ける夕方だった。これといって考えごとをしていたわけではない。なのに突然、気がついた。

「僕は、死ぬんだ」

人はみな、いつか死んでしまう。お父さんもお母さんも、いつか死ぬ。そして僕も、死んでしまうんだ。この世から消えてなくなってしまうんだ……!!

あたりの景色が暗転したような、猛烈な恐怖に襲われた。

気がつくとその場にうずくまり、うなり声を上げながら頭を抱えていた。僕は死ぬんだ。消えてなくなるんだ。死んだらどうなるんだ、僕はどうすればいいんだ!!　嫌だ、嫌だ、死にたくない!!

この日の帰り道以来、僕の脳裏から死への恐怖が消えることは一度もなかった。

ぼんやりと物思いにふけっているとき、ひとりで道を歩いているとき、電気を消して眠る前。突如として「僕は、死ぬんだ」「この世から消えてしまうんだ」という恐怖に襲われる。まるで発作を起こしたかのように、頭を抱えて「ウワーッ」とうなり声を上げる。

誇張しているのではない。この発作は中高時代も、大学時代も、そして大人になってからも定期的にやってきた。

人はなぜ死ぬのか。いや、それ以上になぜ「僕」は死ぬのか。僕が死んだら、どうなるのか。考えても考えても答えは出てこない。夏の終わりにセミが死ぬように、縁日で買った金魚が死んでしまうように、人は、僕は、ひたすら死に向かって歩《ほ》を進めている。大人たちが平然と暮らしている理由が、さっぱりわからなかった。まさか自分だけは死なないとでも思っているのだろうか。

しかし、会社を起業してからしばらくしたある日、「あれっ?」と我に返った。

考えてみるとこの2年ほどの間、あの発作に襲われていなかったのである。死の恐怖を克服したわけではない。いまだに怖い。ただ、死について考える時間がなかった、ぼんやり物思いにふける時間がなかった、それだけの激務を走り続けていたのだ。

「そういうことだったのか」

長年抱えてきた疑問が、ようやく氷解した気がした。

パソコンでも受験でも、競馬や麻雀でも、僕は一度その対象にハマり込んでしまうと、異常なほどに没入してしまう。周りのことがなにも見えなくなる。なぜそこまでハマるのか、昔は不思議でたまらなかった。

でも、おそらくこれは、僕なりの生存戦略だったのだ。

なにかに没入することで、死を遠ざける。死について考える時間を、可能な限り減らしていく。**僕は死を忘れるために働き、死を忘れるために全力疾走し、死を打ち消すために生を充実させていた**のだ。

自分が死ぬことについて、発作に襲われるほどの恐怖を抱えている人は少ないと思う。明らかに僕は極端だ。しかしあなただって——たとえ死のことを思わずとも——ふとした瞬間にネガティブな思いに駆られることはあるはずだ。

人生、そうそう思い通りにはいかない。

仕事で失敗したり、恋に破れたり、いじめに遭ったり、友人と喧嘩したり、いろんなトラブルが待っている。

そして壁にぶつかるたび、つまずくたび、人の感情はネガティブな方向に流れていく。愚痴をこぼし、社会を恨み、うまくいっている他者を妬《ねた》むようになる。

……でも、そうやってネガティブになっていったところで、ひとつでもいいことがあるだろうか？

僕の結論ははっきりしている。

ネガティブなことを考える人は、ヒマなのだ。

ヒマがあるから、そんなどうでもいいことを考えるのだ。

独房での僕も、消灯前後から就寝するまでの数時間は、とにかく苦痛だった。少しでも油断をすると死のことが頭をよぎり、あの発作を起こしそうになった。

もし、あなたがポジティブになりたいというのなら、やるべきことはシンプルである。**うじうじ悩んでないで、働けばいい。**「自分にはできないかもしれない」なんて躊躇しないで、目の前のチャンスに飛びつけばいい。与えられた24時間を、仕事と遊びで埋め尽くせばいいのだ。常に頭を稼働させ、実際の行動に移していく。働きまくって遊びまくり、考えまくる。それだけだ。

こうして刑務所から出所して自由の身となったいま、僕はもう死の恐怖に悩まされることはない。与えられた生を充実させる手段は、無限にある。

あらゆる時間を思考と行動で埋め尽くしていけば、ネガティブな思いが入り込む余地はなくなるのである。

有限の時間をどう生きるのか

最近でこそ、少しは我慢できるようになったが、僕は無駄話をされるのが嫌いだ。ライブドア時代など、商談の席で判を押したように「いやぁ、昨日までの雨が嘘のようで」などと天気の話からはじめられると、本気でイライラしていた。そんな中身のない挨拶はどうでもいいから、さっさと本題に入れ。無駄な時間を費やすな。不機嫌さを隠そうともしなかった。

なぜそんなに苛立っていたのか？

時間とは、「命そのもの」だからだ。なんの実りもない無駄話に付き合わされることは、命を削られているに等しい。

タイム・イズ・マネーという言葉は間違っている。お金なら増やすことも可能だ。

しかし、時間だけは誰にも増やすことができない。まさしく有限の「命そのもの」であり、タイム・イズ・ライフなのである。

もちろん僕だって、遊びもするし、ゴルフや飲みにも行く。さすがに仕事のことだけを考えて生きているわけじゃない。でもそれは「ゴルフをすること」や「お酒を楽しむこと」に集中する時間であって、無駄なことに費やすのとは違うのだ。

だからこそ、僕らは「**自分の時間」を生きるのか、それとも「他人の時間」を生かされるのか、を常に意識化しておく必要がある。**

営業マンの無駄話に付き合わされるとき、あなたは「他人の時間」を生きている。

大好きな仲間と飲みに行くとき、あなたは「自分の時間」を生きている。

与えられた仕事をやらされているとき、あなたは「他人の時間」を生きている。

自ら生み出す仕事に臨んでいるとき、あなたは「自分の時間」を生きている。

いずれの時間も、刻一刻と過ぎていく。今日という日に与えられた24時間をどう振り分けるか、という話だ。

若いとき、たとえば19歳や20歳くらいの間、人は自分が歳をとる姿をうまく想像できない。自分だけは歳をとらないような、この若さが永遠に続くような錯覚にとらわれる。

もしかするとあなたも同じ感覚でいるかもしれない。

しかし、時間は永遠ではない。残酷なほど有限なものだ。

その有限なる時間を、つまりは命を、どう使っていくのか。いかにして無駄を減らしていくのか。そこをもっと真剣に考えるのだ。


たとえば僕は、毎日できるだけ8時間は睡眠をとるように心掛けている。

有限なる時間と聞いたとき、普通は「1日は24時間しかない。だから、6時間とっていた睡眠を4時間に減らそう。そうすれば2時間分だけ自由に使うことができる」と考えるだろう。実際、書店に足を運ぶと短眠術を指南する本もたくさん出回っている。

しかし、1日24時間しかないからこそ、しっかり8時間眠るのだ。

そうすると、実質1日16時間しかなくなる。無駄なことはできないし、無駄を省こうという意識づけができやすくなる。そしてなにより、しっかりと睡眠が取れていると、日中の集中力が段違いに高まる。

仕事の質は、ひとえに「集中力×時間」で決まるものだ。

寝不足のぼんやりした頭で10時間働くよりも、集中力を極限まで高めて2時間働いたほうが、ずっといい仕事ができる。

6時間の睡眠を4時間に削ったところで、ぼんやりした時間が増えるだけだ。それだったら集中力を高める方法を模索するほうがずっと建設的だし、成長も早いだろう。有限であるからこそ、時間の使い方に知恵を絞るようになるのだ。

人生には「いま」しか存在しない

メールマガジンのQ&Aコーナーに寄せられる質問や、講演会の質疑応答で驚かされることがある。若い世代が抱える、将来への不安だ。

まるで笑い話のようだが、10代や20代のうちから「僕らの年金はどうなるのでしょうか？」と、老後の心配をしていたりする。そんなことより先にもっと心配するべきことがあるだろう、と思うのだがどうも違うようだ。

また、最近増えてきたのが、やたらと人生のロードマップを語る人だ。

20代のうちに独立して、30代で世間に名を売って、40代では人生最大の大勝負をして、50代からは後進の育成に着手して、60代でリタイアし、悠々自適の暮らしに入る……。真顔でそんな話をするのである。

僕は自分の老後はおろか、たとえば10年後や20年後の自分について、**いっさいの計画を持っていないし、不安もない。**

こんなことを言うと「それは堀江さんが食うに困らないだけの資産を持っているからですよ」と反発する人がいるのだが、そうじゃない。ここは冷静に考えてみてほしい。あなたにとっての老後、たとえば50年後のことを考えて、なにかひとつでも確かな答えが見つかるだろうか？

50年後の夏は猛暑なのか、冷夏なのか。冬にはどれくらいの雪が降るのか。地震や台風などの天災は大丈夫か。戦争に巻き込まれたりしていないか。

50年後はなんという政党が政権を取っていて、そのとき日本はまだ議院内閣制なのか。大統領制に移行しているのか。そもそも50年後に日本という国が存在し、国籍や国境がいまほどの意味を持っているのか。

これらの問いは、どれだけ考えても答えが出るものではない。そして答えの出ない問題に思い悩むのは、明らかに非合理的な態度だ。

僕らの人生には「いま」しか存在しない。

過去を振り返っても事態は変わらず、未来に怯えても先へは進めない。

かけがえのない「いま」に全力を尽くすこと。脇目も振らず集中すること。将来の自分とは、その積み重ねによって形成されていく。

だから僕は仕事をする上でも、できれば1カ月、せめて半年くらいで結果が出るようなプロジェクトばかりを動かしていたい。その範囲であれば、いろいろな計画も立てられるし、集中力を持って実行に移していける。

逆にいうと、10年かかる壮大なプロジェクトみたいなものには、あまり興味がない。長期にわたる計画は決まってずさんになるし、集中力もキープできないだろう。いつ終わるともしれない長距離走ではなく、はっきりとしたゴールが見える短距離走者として生きていたいのだ。

10年後や20年後も、僕は間違いなくなにかにハマっている。誰にも負けないくらいの全速力で走っている。

けれど、その「なにか」がどんなものであるのか、自分がどこで、誰と、なにをしているのか、まったく想像がつかない。**それは不安ではなく、希望だ。**計画通りに進まず、先が見えないからこそ、人生はおもしろいのである。

飽きっぽさは最大の長所になる

もともと僕は、どうしようもないほど飽きっぽい人間だ。

中学時代のパソコンも、大学時代の麻雀も、一度好きになったら尋常じゃない早さでのめり込んでいく。そしてどっぷりとハマる。寝食を忘れるほどにハマりまくる。ところが、ある飽和点に達すると、周りが唖然《あぜん》とするほどあっさりやめてしまうのだ。

「あんなに好きだったのに、どうして？」

そう聞かれても、うまく説明できない。もっともらしい理屈を並べることはできるけど、いちばん正直な気持ちは「飽きたから」になってしまう。すーっと熱が下がるように、対象への興味を失っていくのだ。


しかし最近、この「飽きっぽさ」も自分の長所になりえることに気がついてきた。

たとえば僕は、２００６年から本格的な宇宙事業に取り組んでいる。

ロケットエンジンの開発、幾度にも及ぶ打ち上げ実験、そして商用ロケットの打ち上げと、あと何年くらいかかるのか、不確定要素も多い長期プロジェクトである。確かな手応えが掴めないまま、1カ月が過ぎ、半年が過ぎることも当然ある。僕の性格から考えて、突然飽きてしまう可能性も否定できない。

では、どうすれば飽きずに継続できるのか？

ロケットとはまったく別ジャンルで、しかも数カ月のうちに結果が出るような小資本のプロジェクトを、いくつも同時進行していくのだ。たとえば、新しいアプリやWebサービスをつくる。いまの時代、やり方さえ工夫すれば数十万円の資本でスタートアップできる事業だ。

自分の本業なんて、決める必要はない。

宇宙やロケットが好きな僕がいて、インターネットが好きな僕がいて、グルメ好きな僕がいて、メディアに関心の高い僕がいる。どれもが「堀江貴文」なのだし、自分をひとつの枠に押し込めなくてもいいのだ。

ライブドアという会社は、まさにそうだった。インターネットに金融、出版から中古車販売まで、なんでもやった。好奇心のおもむくまま、やりたいことは全部やる。失敗に終わる事業が出てきても、全然かまわない。四の五の言わずにやること、すべてを行動に移していく一歩が大切なのである。

「飽きっぽさ」と「惚《ほ》れっぽさ」はコインの裏表のような関係にある。

すぐに飽きる人は、別のなにかにすぐ惚れる。好奇心むき出しで、さまざまなジャンルにチャレンジできる。ひとつの専門に縛られることなく、より多くの人と出会い、より多くの知見を広めることができる。これは僕の飽きっぽさ（惚れっぽさ）がもたらしてくれた財産だ。

ただし、こうしてたくさんのビジネスに手を出していけるのは、インターネットの恩恵によるところが大きい。

インターネットの普及によって、アイデアの価値はどんどん均一化されてきている。アイデアは頭の中からひねり出す時代から、インターネットで検索し、組み合わせる時代になっているのだ。

そこで勝負を分けるのが、**スピードと実行力**である。

手持ちのアイデアを、いかに具体的な行動に落とし込めるか。そのために一歩踏み出す勇気を持ち合わせているか。

口先のアイデアを披瀝《ひれき》しても、なんら評価の対象にはならない。アイデアを実行に移し、誰よりも早くかたちにできた人だけが評価されるのだ。

飽きっぽい人の持つ「惚れる力」は、その突破口になる。

無節操だと批判されても、行き当たりばったりだと笑われても、勝手に言わせておけばいい。誰よりも早く動き出し、かたちにしてしまおう。

テクノロジーが世界を変える

堀江貴文という人間を振り返ったとき、いちばん不可解に映るのは2005年夏の衆議院選挙、いわゆる「郵政選挙」に出馬したことかもしれない。「カネの次は権力か?」などと批判も受けてきた。

だから、ここであらためて述べておこう。

僕が批判を承知で出馬した理由は、大きく次の2つに分けられる。

ひとつは、とてもシンプルな理由だ。当時の小泉純一郎首相が解散を決めた夜におこなった演説に、感動したのである。郵政三事業を筆頭とした既得権益に切り込んでいく姿は頼もしく見えたし、構造改革の必要性は僕もずっと以前から痛感していた。なんといっても、小学校に郵便局員が出向いてきて「お年玉貯金」を半ば強要するような国なのだ。こんなの明らかに間違っている。

もうひとつは、勝手な使命感だ。小泉さんの呼びかけに対して、誰かが動かなきゃいけない。当時の僕は、まだ33歳の誕生日を迎える直前だ。それくらいの若い世代が動き出さないと、なにも前に進まない。やっぱり僕が手を挙げるしかないんだ、と勝手な使命感に燃えていたのだ。

そうして広島６区で守旧派のドン、亀井静香氏に戦いを挑み、結果的には落選となった。再出馬の可能性についてもよく聞かれるのだが、おそらくないだろう（もちろん未来のことは誰にもわからないが）。

僕自身、この国の制度や「空気」に対する不満は、いまだ根強く残っている。ただし、あの当時から比べると若い世代の政治参加も進んできたし、もうあえて僕が手を挙げなくてもいいのかな、と思っている。

なぜなら、世の中を変える手段は政治だけじゃないからだ。

もっと大きく、もっとドラスティックに、世界を激変させる方法が、ひとつだけある。

テクノロジーだ。

人類史とは、人の歴史であると同時に、技術の歴史でもある。

鉄器の普及が農耕牧畜生活を広め、羅針盤の誕生が大航海時代につながり、蒸気機関の発明が産業革命をもたらす。テクノロジーは簡単に国境の壁を越え、既存の法や価値観を無効化し、より自由で便利な社会をつくっていく。

たとえば明治維新以来、日本人にとって「国際化」は目の上のたんこぶとして、ずっと残り続けてきた課題だった。アメリカにもヨーロッパにも遠い地理的なハンディ、そして言語的なハンディを乗り越えるべく、さまざまな施策が叫ばれてきた。

しかし、いまやスマートフォンを持つ手のひらの中に「世界」がある。国境なんか関係ない。国籍なんかどこでもいい。**インターネットにつながっているだけで、あなたはもうグローバル化しているのだ。**

僕自身、スマートフォンの誕生によって、働き方そのものが大きく変わった。ベッドの中でも、移動中でも、スポーツクラブで走っている最中でも、世界中の人間と仕事をすることができる。いまではほとんどの仕事をスマートフォンでこなしているほどだ。

僕は未来を信じている。

昨日よりも今日の世界が、今日よりも明日の世界がよくなると、本気で信じている。

将来について不安を抱いたり、将来を悲観したことは一度としてない。それは僕がテクノロジーの力を信じているからだ。

死についても同様だ。

発作的に襲ってくる死への恐怖を克服するため、僕は再生医療や生命工学（バイオテクノロジー）に関する書物を読み漁り、考え尽くした。その結果、いまでは将来的に不老不死も実現するだろうという結論に行き着いている。完全な「不老」や「不死」はむずかしくとも、限りなく不死に近いところまで寿命を延ばすことはできる。iPS細胞（人工多能性幹《かん》細胞）の活用はもちろん、究極的には意識と肉体を切り離し、自分の意識をロボットに転送できる可能性だってある。

おそらく不老不死なんて、多くの人にとってはSFやオカルトまがいの話だろう。

しかし、たくさんの情報を取りまくっていけば、「近い将来に必ず起こる現象」が見えるようになる。いまはSFとしか思えないような近未来の出来事も、見えるようになる。

これは想像力の産物ではない。ひとえに情報収集能力と分析能力の産物だ。

たとえば大学時代の僕が、いち早くインターネットに無限の可能性を感じたのも、想像力が豊かだったからではない。コンピュータや周辺ビジネスの情報を取りまくっていたからだ。いつかはみんなが気づく話を、先んじて気づいたというだけのことだ。

情報を得ることは、未来を知ることである。

だからこそ、情報弱者と情報強者の間では、「未来を見る力」に決定的な差が生まれてしまう。情報に鈍感な人が損をするのは当然のことなのだ。

スマートフォンひとつあれば、情報を手に入れることなんて誰にでもできる。そして**誰にでもできるからこそ、情報の質と量、そしてそれを入手するスピードが重要になる。**

先の見えない情報弱者にならないためにも、片っ端から情報を取りまくろう。自分に都合のいい情報だけでなく、たとえばツイッターでも、自分と意見の合わない有識者を一定数フォローすること。そして常に自分の頭で情報を精査し、その先にある未来を見極めていこう。

そうすれば、「テクノロジーが世界を変える」という言葉の意味も理解できるはずだし、未来を信じる強さも生まれてくるだろう。

僕が宇宙をめざすわけ

テクノロジーが世界を変える。

この文脈で語るとすれば、僕がいまもっとも注力しているのは、やはり宇宙事業になる。これは金持ちの道楽でもなければ、ロマンチストの個人的な夢でもない。いたって真剣に取り組む、ひとつの事業だ。

はじめて「事業としてのロケット」を意識したのは、中高時代にまでさかのぼる。

中学1年生のとき、次田《つぎた》くんという友人と化学部を結成した僕は、当時からロケットに強い関心を持っていた。そして化学部を辞めて高校に上がったあとも、どうしてもロケットへの思いをあきらめきれず、化学教師の指導の下、ロケットの発射実験をおこなうことになる。ブタジエンゴムに過塩素酸《かえんそさん》カリウムを混ぜた固形燃料をつくり、遠心分離機でボール紙の筒に貼りつけ、ノズルをつけて、電極を使った着火装置で発射する。高校生にしてはかなり本格的なロケットだ。

発射するときのドキドキ感、そしてうまく飛んでくれたときの自分が宇宙に近づいたような達成感は、いまでも克明に覚えている。

大学で文系に進んだこともあり、実験を続けることはできなくなったが、ロケットのことはそれ以来ずっと考え続けてきた。もう一度チャレンジできる環境（資金や技術など）が整ったらすぐにでも着手しようと、常に専門書や科学雑誌に目を通し、情報収集に努めてきた。

これはよく誤解されるのだが、**僕は自分が宇宙に行きたくて宇宙事業に取り組んでいるわけではない。**宇宙に行きたいだけなら、お金を積めばそれでいいのだ。

たとえば日本人最初の宇宙飛行士となったのは、当時ＴＢＳの記者だった秋山豊寛《とよひろ》さんである。彼は１９９０年12月にソ連の有人宇宙船「ソユーズ」に乗って、同じくソ連の宇宙ステーション「ミール」に１週間滞在した。このときＴＢＳは、ソ連の宇宙総局に15億円ほどの金額を支払ったという。

じゃあ、それから20年以上経ったいま、宇宙行きの価格はどれくらいになっているのか。驚くべきことに、現在一人あたりの打ち上げ費用は７０００万ドルを超えているのである。１ドル１００円で換算しても70億円以上というわけだ。

なぜここまで高騰《こうとう》しているのか？　答えは簡単で、米国がスペースシャトルの運用を打ち切ったせいだ。現在、商用利用できるほど信頼性を持った有人宇宙船を打ち上げられる国は、ロシアしかない。そのロシアでさえ、有人宇宙船を打ち上げられるのはせいぜい年に2～3回。おかげで市場原理が働かなくなり、価格が高騰しているのだ。

僕の目標は、民間の手で有人宇宙船を生産し、一人あたりの打ち上げ費用を１００万ドル以下、つまり1億円以下にまで引き下げていくことである。最終的には数千万円で宇宙旅行できるところまで持っていきたい。

人類初の宇宙飛行士、1961年のユーリ・ガガーリン以来、これまで500人あまりの宇宙飛行士が誕生している。こんな数字じゃまったく足りない。せめて数万人、十数万人の人間が宇宙に行くようになって、ようやくおもしろい変化が起きてくる。僕には到底思いつかないようなアイデアを出す人間も現れるだろうし、そんなバカなと呆れるようなこと――たとえば無重力ポルノ映画の撮影など――をやる人間も出てくるだろう。もちろん予想だにしない事故が起こるリスクもあるが、それは飛行機や自動車でも同じだ。宇宙に飛び出す人間が増えれば増えるほど、世の中はおもしろくなっていく。

要するに僕は、宇宙事業を通じて、人類の可能性を拡張する「**新しいインフラ**」**を提供したい**のだ。

そう、インターネット事業に取り組んだときとまったく同じだ。

新型ロケットを発明したいのではないし、自分ひとりで宇宙に行きたいのでもない。インフラを誰がどのように使おうと、大いに結構。そこで一緒にワクワクするような未来をつくっていきたいのである。**仕事もお金も喜びも、それを独り占めしたところで心は満たされない。みんなとシェアするからこそ、ほんとうの幸せを実感できるのだ。**

宇宙事業を国に任せている限りコストダウンの意識は生まれにくいし、開発スピードも遅くなる。民間がやるからこそ、思いきったコストダウンが可能になり、結果としてよりたくさんの人が宇宙旅行できるようになる。

いまの僕は、まだドン・キホーテのような存在かもしれない。荒唐無稽《こうとうむけい》な夢物語を語っているように聞こえるかもしれない。でも、僕は自分を信じているし、テクノロジーの力を信じ、その先にある明るい未来を信じている。

ゼロからイチへの試金石はどこにある？

こうして明るい未来を語り、大きな目標を語っていると、決まって文句をつけてくる人がいる。

ライブドア時代も、一度も会ったことのない人たちから容赦ない人格攻撃に晒《さら》されてきた。「ホリエモンは金の亡者だ」といった定番の文句から「ＩＴなんて虚業だ」といった仕事に対する批判、さらには僕の容姿に対する攻撃、プライベートに関する根も葉もない噂話まで、ほんとうにひどかった。

「あなたは僕のなにを知ってるの？」

「僕があなたになにか迷惑をかけましたか？」

「そんなことをして、あなたになんのメリットがあるの？」

そう問い詰めたくなる自分を抑えるのに必死だった。

当時の僕は、若者のベンチャーマインドや起業家マインドを奮い立たせるのに、微力ながらも貢献できている実感があった。ベンチャーをめざす学生、起業家をめざす若者は増えていったし、学生ベンチャーでさえ珍しくなくなった。いまでも、セミナーなどで「堀江さんの本を読んで起業を決意しました」と言ってくれる若者に出会う機会は多い。非常にありがたいことだ。

しかし同時に、せっかく踏み出そうとした若者たちを萎縮《いしゅく》させる結果になってしまったのかもしれないと思うこともある。

出る杭《くい》は打たれる。成功すれば批判にさらされる。お金は人を不幸にする。無理をせず、目立つことなく生きていくのがいちばんだ。……容赦ないバッシングに晒される僕を見て、そんなふうに思った人も多いのではないだろうか。

これは僕だけに限った話ではなく、たとえばブログやツイッターを見ていても、赤の他人を容赦なくバッシングする風潮、「祭り」や「炎上」と呼ばれる個人攻撃をよしとする風潮が蔓延している。最近では、標的となる対象を虎視眈々《こしたんたん》と待ち構えているような雰囲気すら感じられるくらいだ。

僕だって小学生時代、お金持ちの家庭を見て羨ましいと思うことはあった。思春期になってからはモテている同級生を羨んだり、男子校にほとほと嫌気が差し、共学の高校にあこがれることもあった。

お金持ちや著名人、モテる人を見て羨ましく思う気持ちは誰にでもあるだろうし、別に悪いとは思わない。歯ぎしりして悔しがるのもいい。僕自身、田舎に生まれたことや裕福とは言い難い家庭環境をバネにしてがんばってきた側面は多々ある。

でも、そこから**他者の足を引っぱろうと思ったことは、一度としてない**。

成功者の足を引っぱって、なにが得られるというのだろう？

2013年に惜しまれつつも他界したマーガレット・サッチャー元英国首相は、こんな言葉を残している。

「金持ちを貧乏人にしたところで、貧乏人が金持ちになるわけではない」

他人の足を引っぱり、引きずり下ろしたところで、気が晴れるのは一瞬のことだ。

むしろ、時間が経つほど空しさや苦々しさに襲われるに違いない。なぜなら、あなたの居場所はまったく変わらず、**ゼロ地点のまま**なのだから。

他者を羨ましいと思う気持ちがあるのなら、その人の足を引っぱるのではなく、自分で一歩を踏み出そう。他者を引きずり下ろすのではなく、自分が這《は》い上がろう。先行く他者にブレーキをかけるのではなく、自分がアクセルを踏もう。

成功者をバッシングするのか、それとも称賛するのか。

これは「嫉妬心」と「向上心」の分かれ道であり、**ゼロにイチを足せるかどうかの試金石**である。少なくとも僕は、嫉妬にまみれた人生なんて送りたいとは思わない。すべての羨望は、向上心に転換可能なのである。

絶望しているヒマなどない

刑務所に収監されている間、僕は努めて過去を見ないようにした。

自分が「ここ」にいるという事実に対して、誰かを恨んだり、過去を悔やんだりしないよう意識していた。そんなところに大切な時間とエネルギーを注ぎたくなかった。

僕は人を信じやすいタイプだ。いや、信じたいと願うタイプだ。

だから後に横領が発覚した役員や、その他の社員たちのことも、心から信じきっていた。結果的には背信行為に走った役員もいたわけだが、信じたのは僕だ。**「他者を信じること」とは、「裏切られるリスク」を引き受けることでもある。**それで裏切られたからといって不平不満を述べるのは筋《すじ》が違うと、僕は思っている。

そして出所したいまも、僕は周囲の仲間たちを信じている。

会社の仲間、一緒にビジネスをやっていくパートナー、それからプライベートでの友人たち。みんなのことを信じている。裏切りを怖れる気持ちは、まったくない。信じるか信じないかの二者択一なら信じたほうが楽しいし、前向きに生きていける。周囲を疑いながら生きていくのは、相当なストレスだろう。

東大の駒場寮時代、わがままな僕を見かねた先輩と喧嘩になったことがあった。なにが原因で喧嘩になったのかはもう忘れたが、そこで交わした言葉だけは強烈に覚えている。

「お前には人の気持ちってもんがわからんのかっ!?」

顔を真っ赤にして怒る先輩に、僕は叫んだ。

「人の気持ちなんて、わかるわけがないでしょ!!」

絶句した先輩の顔は、いまでも忘れられない。そう、人の気持ちなんて、究極的にはわからないものなのだ。僕のことをどう思っているのか、信頼してくれているのかバカにしているのか、ほんとうのところは絶対にわからない。

そして**わからないからこそ、僕は信じる**。

仲間を信じるからこそ、僕は全力で働くことができる。

人の心がわからないからと周囲を疑って生きるのは、あまりに寂しい人生だ。

子ども時代から大学時代まで、僕にもそれなりに友達はいた。

でも、心の底から信じることのできる仲間に出会えたのは、働きはじめてからのことだった。

雑居ビルに借りた７畳間からスタートし、寝食を忘れて共に突き進んでいった創業当時の社員たち。

猛スピードで成長する会社を懸命に支えてくれた社員たち。

そして逮捕された僕に、温かくも力強いメッセージを寄せてくれた社員たち。

経営者にとっての社員が、どれほどかけがえのない「仲間」であることか。これはその立場に立った人間にしかわからないだろう。彼らはみな、心から信じるに値する、僕がようやく手に入れた最高の仲間だった。

もちろん、会社が大きくなっていく過程では、どうしても袂《たもと》を分かつことになる仲間もいた。上場の準備に追われていた1999年には、経営方針の相違から創業メンバーやエース級の社員たちがごっそり抜けていったこともある。僕も若くて未熟だったし、お互い傷つけ合ってボロボロになることもあった。思い出すのもつらいほどの痛みである。これは本気になって仕事をしているからこその痛みだ。

それでも僕は、働きたい。

働くことを通じて、もう一度最高の仲間たちと一緒に大きな「夢」をかなえたい。

メディアの取材で、よく聞かれたものだ。

「あなたの夢はなんですか？」

以前は照れくさくて口にできなかったけど、いまなら言える気がする。

僕は、みんなとつながり、みんなと笑顔を分かち合いたい。

そのために少しでもいいから、ほんの1センチでもいいから、社会を前に進めたい。

この矛盾だらけの世界を、不合理だらけの世界を、少しでも明るく楽しい場所にしていきたい。起業してインターネットに取り組んだのも、いま宇宙事業に燃えているのも、すべてはテクノロジーの力で社会を前に進める小さな一歩なのだ。

刑務所の中でもひたすら働くことを願ってきたのは、ワーカホリックだからじゃない。仲間たちと分かち合う時間の中に、再び身を置きたかったからだ。

僕は想像する。

はじめてのロケット打ち上げが成功したとき、はじめての有人宇宙船の打ち上げに成功したとき、世界中から宇宙旅行希望者が殺到するようになったとき、僕はどんな仲間に囲まれ、世の中はどう変わっているのか。どれだけたくさんの笑顔に囲まれているのか。考えただけでもゾクゾクしてくる。

僕の目に映る未来は明るい。

それはひとえに自分を信じ、仲間を信じているからだ。

この明るい未来を、あなたと共有できるとしたら最高だ。

さあ、前を向いて最初の一歩を踏み出そう。バックミラーを見るのは、もうたくさんだ。有限の人生、絶望しているヒマなんかないのである。

おわりに

本書の執筆途中、編集の方からおもしろい指摘を受けた。

名付けて、「堀江貴文10年周期説」である。

僕がはじめて仕事をしたのは中学1年生、ちょうど13歳のときのことだ。

それから10年後、23歳のときに僕は「有限会社オン・ザ・エッヂ」を起業する。

さらに10年が経った33歳のとき、今度は証券取引法違反の疑いで逮捕される。

「はじめての仕事、起業、そして逮捕。堀江さんの人生って、ちょうど10年周期で大きなトピックが起こっているんですね」

過去に頓着《とんちゃく》しない性格もあり、そんなこと考えもしなかった。占いや風水などはいっさい信じない僕だが、せっかくなので10年周期説の「次」を考えてみたい。逮捕から10年経った43歳の僕は、どこでなにをしているのだろうか？

じつは、ひとつだけ思い当たる話がある。

２０１３年現在、僕は株式会社の取締役になることができない。

証券取引法の罪を犯した人間は、刑期満了から2年間は取締役になることができないと、会社法によって定めてあるからだ（会社法３３１条3項）。だから、僕は自分がオーナーを務める会社でも、立場的には従業員なのだ。

その2年間の縛りが解け、代表取締役や社外取締役に就任できるようになるのが、ちょうど43歳なのである。つまり、刑期を満了してもなお、僕はまだ大きな一歩を踏み出しづらい立場にいるわけだ。

ゼロに戻った自分に、ほんとうの意味で大きなイチを足すことができるのは43歳のときになる。２０１５年から２０１６年にかけての1年間。このとき僕がどんな一歩を踏み出すかについては、ぜひ楽しみにしていただきたい。僕自身もワクワクしている。

これまで僕は共著も含めて50冊以上の本を上梓《じょうし》してきた。

ジャンルは多岐にわたるが、もっとも売れたのが２００４年の『稼ぐが勝ち』である。

この本には挑発的なフレーズも多々盛り込んであり、良くも悪くも「ホリエモン」の印象を決定づける内容にもなった。

そしてまた、この本には示唆的なサブタイトルがつけられている。

正式な書名は『稼ぐが勝ち――ゼロから100億、ボクのやり方』なのだ。

再びゼロ地点に舞い戻ったいま、このサブタイトルを見ると人生の諸行無常を感じざるを得ない。

さて、本書『ゼロ』ではまさに僕の「ゼロからイチ」について、これまでほとんど語ってこなかった幼少時代や中高時代についても、かなりの紙幅《しふく》を費やすことにした。おそらくここまで読んでくださった方なら「ホリエモン」が突然変異的に現れたモンスターなどではなく、むしろどこにでもいる、普通のさえない田舎者だったことがわかってもらえたのではないかと思う。そしてさえない田舎の少年が、どうやって「イチ」を積み重ね、やがて大きく成長していったのかも理解してもらえたのではないだろうか。

僕は天才ではないし、名家の生まれでもなく、イケメンなわけでもない、ただの地方出身者だ。あまり好きな言葉ではないが、努力だけでのし上がってきた人間である。そしていまもなお、ひたすらゼロの自分にイチを足して生きている。そんな僕にできるのだったら、あなたにもできる。僕は本気でそう思っている。

さあ、僕の話はもうたくさんだ。

あなた自身の「ゼロからイチ」を見せてほしい。

僕がそうであるように、あなたもきっと「ゼロ」である。これからどうやって「イチ」を足していくのか。いや、その前にどうやって最初の一歩を踏み出すのだろうか。ヒッチハイクからはじめてみるか、飲み会の幹事からはじめてみるか、さっそく起業に動きはじめるか、進む方向やスピードはどうでもいい。とにかく「ゼロのままの自分」に見切りをつけ、一歩を踏み出すことだ。

僕はあなたの人生に直接手を触れることはできない。

決めるのは、あなただ。

自分の人生を動かすことができるのは、あなただけなのだ。

僕はこれから、自分のやりたい仕事だけをやり、自分の進みたい道を全力で突っ走っていく。そしてもし、僕の進む道とあなたの進む道が交差するときが訪れたら、それほどうれしいことはない。そのときは一緒に、仲間として進もう。

そして最後にひと言だけ、メッセージを贈って終わりにしたい。

はたらこう。

2013年10月

堀江貴文

「ゼロ」
プロジェクトチーム

編集　柿内芳文、加藤貞顕（cakes）
構成　古賀史健
装丁　川名潤（prigraphics）
協力　佐渡島庸平（株式会社コルク）

［著者］
堀江貴文（ほりえ・たかふみ）
1972年福岡県八女市生まれ。実業家。元・株式会社ライブドア代表取締役CEO。民間でのロケット開発を行うSNS株式会社ファウンダー。東京大学在学中の1996年、23歳のときに、インターネット関連会社の有限会社オン・ザ・エッヂ（後のライブドア）を起業。2000年、東証マザーズ上場。2004年から05年にかけて、近鉄バファローズやニッポン放送の買収、衆議院総選挙への立候補などといった世間を賑わせる行動で、一気に時代の寵児となる。既得権益者と徹底的に戦う姿が若者から支持を集め、『稼ぐが勝ち』（光文社）がベストセラーに。しかし2006年1月、33歳のときに、証券取引法違反で東京地検特捜部に逮捕され、懲役2年6カ月の実刑判決を下される。2011年6月に収監され、長野刑務所にて服役。介護衛生係としての仕事に励みつつ、メールマガジンなどで情報発信も続け、獄中で40歳の誕生日を迎える。2013年3月27日に仮釈放。本書が刊行される直後の11月10日0時に刑期を終了し、ふたたび自由の身となって、「ゼロ」からの新たなスタートを切る。

ゼロ――なにもない自分に小さなイチを足していく

2013年10月31日　第1刷発行
2018年5月2日　第13刷発行

著　者――堀江貴文
発行所――ダイヤモンド社
〒150-8409　東京都渋谷区神宮前6-12-17
http://www.diamond.co.jp/
電話／03･5778･7233（編集）　03･5778･7240（販売）
製作進行――ダイヤモンド・グラフィック社
印刷――勇進印刷（本文）・加藤文明社（カバー）
製本――ブックアート
編集総括――今泉憲志

ISBN 978-4-478-02580-2